LE VOYAGE MAGNIFIQUE
D'EMILY CARR

Illustration de la couverture : *Zunoqua of the Cat Village* (1931) d'Emily Carr, huile sur toile, 112,2 X 70,6 cm. Collection Vancouver Art Gallery (photo Robert Kezierre).

Maquette de la couverture : Claude Lafrance
Les photos de scène, à l'intérieur, sont de Daniel Kieffer.

ISBN 2-7609-0188-2

© Copyright Ottawa 1990 par Leméac Éditeur.
Dépôt légal — Bibliothèque nationale du Québec
3ᵉ trimestre 1990

Imprimé au Canada

Jovette Marchessault

LE VOYAGE MAGNIFIQUE D'EMILY CARR

Pièce de théâtre en dix tableaux
dans le nouveau monde
et trois Voyages dans le vieux monde

LEMÉAC

Relation d'un voyage

Saint François d'Assise n'est plus seul; Jovette Marchessault dédie sa pièce à Manitou et Molly, les deux toutous qui «la gardent d'elle-même». Emily dans la Maison de toutes les espèces parle à Prince Pumpkin, Lady Loo et Young Jimmy, les chiens; à Adolphus le chat et Woo le singe; elle s'entretient également avec le perroquet et la rate blanche; et grâce à son éléphant, elle pénètre dans la forêt où elle écoute les totems et les arbres lui parler.

Dans son Arche de Noé, Emily tente de sauver sa vision du monde, assistée de sa chère Sophie qui sait voir l'invisible et lui donne des leçons de vie.

Emily arrive en ce monde en 1871, elle le quitte en 1945; en février de cette année-là, elle travaillait à des huiles sur papier. Elle a été «vivante» jusqu'à la fin de son passage sur terre.

Avec conviction, Lizzie nous dit d'Emily: «Tu nous viens de Dieu.» Et on accepte la réponse. Quand on quitte cette vie pour un monde meilleur, on se demande un peu où c'est, mais pas trop longtemps. Nous nous incarnons, condamnés à souffrir, à vieillir et à mourir et les raisons de ces souffrances nous restent cachées, incompréhensibles. Le péché originel ne nous intéresse plus, la faute est oubliée. Le Dieu vengeur disparu, nous souffrons, vieillissons et mourons toujours! Y aurait-il quelque message obscur contenu dans l'expérience de la vie? Est-ce qu'Emily n'en aurait pas compris une part durant sa vie et Lizzie durant sa mort?

Emily, Lizzie, Sophie, Lawren Harris, l'Accordeur d'âmes et la D'Sonoqua nous convient à travers ce Voyage magnifique à réfléchir sur la vie, la création, l'imaginaire, la vieillesse et la mort (la nôtre et celle de nos proches), loin des sentiers battus de la chrétienté.

> «C'est un éléphant.
> C'est une tente-roulotte motorisée.
> C'est un éléphant.
> C'est le géant des vents, il porte la Terre
> sur son dos!»

La créativité, c'est un regard sur le monde, la spécificité d'un regard. Ce regard, ce troisième œil s'ouvre plus ou moins tôt selon les individus; l'unique certitude réside dans la souffrance accompagnant cette opération d'ouverture.

Le regard posé sur le monde révèle le regard posé en soi; les totems peints en 1898 ont peu à voir avec ceux de 1928. Au début, Emily peint les villages indiens comme une anthropologue; elle inscrit sur du papier, sur de la toile et dans notre mémoire un imaginaire qu'elle ne veut pas voir disparaître.

Plus tard, les totems deviendront sujets de la peinture et supports d'émotions (The Crying Totem, 1928); ils disparaîtront ensuite pour laisser place à la forêt dense, vibrante, respirante et étouffante tout à la fois, une forêt sombre en couleurs.

Et puis, l'horizon, le ciel et la lumière apparaissent, les toiles s'ouvrent. Comme si Emily avait dû bien comprendre les esprits de la Terre avant de lever le regard au ciel; comme s'il avait fallu comprendre le fermé avant d'aborder l'ouvert, le lourd avant de supporter le léger, le sombre avant d'envisager la lumière. La Terre mènerait au ciel si on apprenait à bien la connaître. La forêt, cathédrale sombre, s'ouvre et le pin magistral aux racines ancrées dans la terre s'élance dans une prière verticale révélatrice de lumière. Tout coule, tout glisse, le ciel et la terre s'interpénètrent, les forces telluriques et les forces cosmiques s'unissent dans un mouvement perpétuel.

Plus tard encore, les totems réapparaîtront dans des paysages lumineux.

Emily continue son voyage dans un monde meilleur en compagnie de la D'Sonoqua, la Déesse-Mère dont la fréquentation lui a tout appris sur la réalité subtile de la Terre. Et sur terre, par ses œuvres elle travaille toujours, elle ouvre des portes pour nous rapprocher de la lumière, pour nous rapprocher des uns et des autres, pour nous rapprocher de la dernière porte. Elle nous apprend à voir un peu mieux cette Terre et à avoir un peu moins peur de la quitter et à moins «laisser polluer nos sources de joies par les poisons de la peur (...) afin qu'advienne le mieux.»

En peignant, Emily Carr nous parle d'elle-même, de son rapport à la nature, à l'essence des choses. Jovette Marchessault, en nous relatant Le Voyage magnifique d'Emily Carr, nous parle d'elle-même, de son rapport à la création et de sa présence aux mondes visible et invisible. À mon tour, en regardant l'œuvre d'Emily Carr et en lisant son Voyage magnifique, je parle de moi, de mon rapport à

la création, de ce qui m'importe, de l'invisible qui nous en-
toure.

Un regard additionné à un autre et à un autre encore
donne une vision plus large ou plus profonde d'une parcelle
de réalité qui nous apparaîtra différente selon le système
de perspective utilisé pour la représentation. La perspec-
tive linéaire, avec ses points de fuite, cette vision mathéma-
tique et rationnelle du monde, n'est pas la seule valable.
Emily Carr et Jovette Marchessault l'ont compris.

Françoise Tounissoux,
peintre

Emily Carr (1871-1945) peintre de la côte ouest née à Victoria, habitait en un lieu magique qu'elle avait baptisé *La Maison de toutes les espèces.* Dans cette Maison, qui est celle de tout ce qui est vivant sur la Terre, Emily Carr, avec sa grandeur comme avec sa nature imparfaite, accueillait les visiteurs de la planète: sa soeur Lizzie, avec des cris de guerre et des refuffades, car Lizzie est l'adversaire, au même titre que toute la société victorienne. Son amie amérindienne Sophie, qui apporte les messages, les devoirs et les leçons de l'existence. Son jeune ami peintre, Lawren Harris du Groupe des Sept, qui veut débarrasser la peinture de ses dogmes et révolutionner l'art au Canada.

Et celui qui vibre à son appel et répond à ses pensées d'adoration et de compassion, l'Accordeur d'âmes...

Et celle qui viendra à sa rencontre, la Déesse-Mère du vieux monde des légendes, la D'Sonoqua, sur son piédestal phosphorescent. Malgré toutes les difficultés et les épreuves qui accompagnèrent sa vie, avec le pouvoir plastique de son imagination, Emily Carr a peint et décrit ce voyage magnifique qu'est notre séjour sur la Terre.

Jovette Marchessault
hiver 90

Photo Robert Barzel

Née de l'hiver de 1938, à Montréal, dans un milieu ouvrier, ce n'est qu'après des années d'itinérance en terre d'Amérique qu'à trente-deux ans, autodidacte, Jovette Marchessault entreprend, à travers la peinture et l'écriture, une quête spirituelle. De 1970 à 1979, elle expose ses tableaux à travers le Québec et aussi à Toronto, New York, Paris et Bruxelles.

En 1975, elle a publié *Le Crachat solaire*, premier volume d'une trilogie romanesque intitulée *Comme une enfant de la terre*, qui lui mérite le prix France-Québec. En 1981 suivra *La Mère des herbes*, et en 1987 le dernier volet, *Des cailloux blancs pour les forêts obscures*. Au théâtre, elle a fait jouer *Les Vaches de nuit* (monologue, 1978), *Les Faiseuses d'anges* (monologue, 1979), *La Saga des poules mouillées* (1979), *La Terre est trop courte, Violette Leduc* (1980), *Alice & Gertrude, Natalie & Renée et ce cher Ernest* (1983), *Anaïs dans la queue de la comète* (1985, Prix du Journal de Montréal), *Demande de travail sur les nébuleuses* (1988).

CRÉATION ET DISTRIBUTION

Le Voyage magnifique d'Émily Carr a été créé le 21 septembre 1990 au Théâtre d'Aujourd'hui à Montréal, dans une mise en scène de Reynald Robinson, une conception visuelle d'Augustin Rioux, une conception sonore de Robert Caux et des costumes de Denis Gagnon.

La distribution était la suivante:

Par ordre d'entrée en scène:

Emily Carr.................................Louisette Dussault

Lizzie ....Catherine Bégin

Sophie
La D'Sonoqua   }   Louise Bombardier

Lawren Harris
L'Accordeur d'âmes   }   Michel Laperrière

Les protagonistes: trois femmes, un homme.

Emily Carr, fin de la cinquantaine.

Lizzie Carr, soeur d'Emily, la soixantaine.
Sophie, amie amérindienne d'Emily, dans la jeune quarantaine. Elle incarnera aussi la déesse amérindienne La D'Sonoqua.

Lawren Harris, peintre du Groupe des Sept et jeune ami d'Emily Carr. Dans la trentaine.

L'Accordeur d'âmes, qui est aussi l'homme des tombes, sera incarné par le même acteur, au même âge.

Lieux: Le lieu principal est la cour d'honneur de la maison d'Emily Carr. Cette maison, qui est baptisée La Maison de toutes les espèces, est avant tout la maison spirituelle de toute l'humanité comme de tout ce qui est vivant sur la Terre.

Temps: Parfois celui de l'aube, parfois celui d'une lumière éclatante dans la forêt, parfois celui de la nuit de l'âme ou celui d'une nuit semée d'étoiles.

LE VOYAGE MAGNIFIQUE
D'EMILY CARR

*Cette pièce est dédiée
à Manitou et à Molly,
qui me gardent de moi-même.*

Premier voyage dans le vieux monde

EMILY

(Elle marche dans la forêt, trébuche sur un totem allongé sur le sol, totem qui est celui de la D'Sonoqua. Emily s'arrête, elle est entre la frayeur et l'émerveillement.)

Quel est ce vert? Il est constellé de grains de lumière les uns dans les autres. Vert, ton impulsion est si forte que je peux à peine te supporter. Comment peindre les forces régénératrices de ce vert? Comment peindre l'âme d'une couleur?

Si je fais ce que je dois faire, je mériterai ma propre approbation... Mais qu'est-ce qu'une approbation personnelle, si elle n'est pas corroborée par la meilleure partie du monde?

TABLEAU I

La Maison de toutes les espèces

Nous sommes dans la cour d'honneur de la Maison de toutes les espèces. Emily, le dos tourné à la salle, est assise près de son four à poterie dont elle contemple le rougeoiement central. Elle est plongée dans ses pensées. Le jour commence à se lever. On entend un coq chanter. Plus tard on entend le son d'une cloche d'école qui appelle les enfants. Après cet appel, Lizzie, la sœur d'Emily, fait son entrée. Elle est tirée à quatre épingles et le contraste entre sa tenue vestimentaire et celle d'Emily est évident.

LIZZIE
(Elle s'adresse à Emily qui lui tourne aussi le dos.)

Tous les jours, des enfants assis sur des bancs boivent littéralement les paroles de notre sœur Alice. Aujourd'hui, je sais qu'Alice enseigne l'histoire: l'évolution des hommes, de siècle en siècle, les voyages dangereux sur des mers inconnues, les conquêtes, les drapeaux qu'on hisse au sommet des montagnes. Notre sœur essaie d'éveiller les enfants de Victoria aux grandes vérités de l'univers.

Elle s'arrête, attendant une réaction d'Emily, mais en vain car Emily fait celle qui n'entend pas.

J'ai l'impression qu'une fois de plus, tu es plongée dans le monde étrange de tes visions intérieures!

EMILY

Et l'histoire de la peinture, *(Elle se tourne vers Lizzie avec un visage décoré des marques guerrières des Indiens.)* l'action personnelle de chaque artiste sur le monde, il faudra bien un jour l'enseigner!

LIZZIE
(Elle recule, effrayée par l'aspect d'Emily.)

Mon Dieu, Millie, tu ressembles à une vieille Squaw!

EMILY
(parodiant le ton de sa sœur)

Mon Dieu, Lizzie, tu ressembles à une vieille Anglaise!

LIZZIE

Tu te rapproches peu à peu de la mortelle soixantaine, Millie!

EMILY

Tu prêches dans le désert, Lizzie.

LIZZIE

Tu ne pourras plus envisager de changements radicaux dans ta vie. Il sera trop tard pour changer ton image. Trop tard!

EMILY

Je baigne dans l'atmosphère enivrante de mes vingt ans. J'aspire!

LIZZIE

Ton mot fétiche!

EMILY

C'est un mot un peu bizarre mais il possède une noblesse indéniable.

LIZZIE

À quoi? Tu aspires à quoi?

EMILY

J'ai le choix.

LIZZIE

On a toujours le choix. Toi, tu es tellement entêtée! Ta Maison, par exemple...

EMILY

Rien de ce que je fais ne peut trouver grâce à tes yeux.

LIZZIE

Tu as fait construire ta Maison beaucoup trop près de la route. Tu aurais pu avoir un jardin de fleurs devant.

EMILY

Je n'en voulais pas.

LIZZIE

Tu as préféré une grande cour à l'arrière avec un chenil...

EMILY

Un chenil et un terrain de jeux pour mes chiens dans la cour d'honneur de ma Maison.

LIZZIE

Un chenil!

EMILY

J'ai aussi des arbres fruitiers, un chêne des marais, un érable du Manitoba, un potager, des parterres de lys d'Orient et d'Asie, des lys sauvages, des lys d'un jour...

LIZZIE

Tu as surtout des chiens à n'en pas savoir qu'en faire! tes chiens sont bruyants et mal élevés, Millie!

EMILY

C'est faux! Ce sont de bonnes bêtes: l'œil est vif et doux, le sourire courtois mais toujours vaguement moqueur. Mes chiens sont très recherchés, Lizzie!

LIZZIE

Recherchés? Par qui?

EMILY

Par nos braves soldats. Une autre terrible guerre vient de finir et nos braves soldats rentrent au pays avec des blessures qui ne sont pas toutes visibles. Chacun d'eux est préoccupé par sa propre mue intérieure. Ils cherchent un moyen de guérir. Pendant des années, ils se sont battus pour nous. Maintenant qu'on n'a plus besoin d'eux, ils ne sont plus rien pour personne. Plusieurs sont partis s'installer sur les terres les plus éloignées, les plus solitaires de la côte ouest. Ils ont besoin de mes chiens.

LIZZIE

Ils n'ont ni moutons, ni jeunes vaches à faire garder?

EMILY

Mes chiens vont les garder d'eux-mêmes.

LIZZIE

Tout ça n'est qu'un micmac!

EMILY

Écoute-moi, Lizzie!

LIZZIE

Comme ta Maison!

EMILY

Les raisons profondes pour lesquelles j'ai fait construire cette Maison t'échappent complètement.

LIZZIE

Non! J'ai toujours essayé de faire la part de tes lubies.

EMILY

Et moi de faire la part de l'envie simple! Pourquoi refuses-tu d'entrer dans ma Maison?

LIZZIE

Toi et moi, nous ne serons jamais en paix. Pourtant, je suis de plus en plus consciente de tout ce qui se transforme en dedans de moi, autour de moi. Parfois, je me sens en osmose avec les fibres innombrables de l'univers. Mais je n'arrive jamais à me détacher de mes pensées de colère en ce qui te concerne, Millie!

EMILY

Tu n'as pas été juste à mon égard. Tu as érigé un mur de silence autour de moi.

LIZZIE

Un mur de silence? Dans toute la ville on ne parle que de toi, de tes chiens, de ton rat blanc, de ton singe, toute ta ménagerie!

EMILY

En tout état de cause, tu es ce genre de personne qui généralise et qui exagère. Victoria a bien d'autres sujets de conversation.

LIZZIE

On commente toutes tes actions et tes extravagances. Tout ce que tu fais se disperse dans la ville, ainsi qu'une semence.

EMILY

Une semence? Enfin une parole aimable.

LIZZIE

Alors, je dirai plutôt un grain de sable, des milliers de grains de sable!

EMILY

Il est vrai que l'univers peut être vu dans un grain de sable. D'un simple point de vue pratique, on peut consulter le grain de sable bien plus facilement que sa sœur, hein Lizzie?

LIZZIE

Ne me regarde pas comme ça! Moi aussi, je connais la douleur, la souffrance inexorablement implantée dans un regard. C'est insupportable.

EMILY

Je sais.

LIZZIE

Je dois avouer qu'en ce qui te concerne, mes facultés de compréhension et de jugement sont limitées.

EMILY

Dans cette Maison de toutes les espèces, où tu refuses d'entrer, je m'occupe de l'éclairage, du chauffage, du transport de l'eau chaude et de la distribution du courrier. Tous mes pensionnaires peuvent le confirmer: Emily Carr assume toutes les activités d'un village dans sa propre Maison. J'écoute même les confessions, les divagations de ceux qui rêvent de voyage, d'aventures et s'arrangent pour ne jamais partir. Ceux-là, parfois, je les amène en promenade au bord de la mer, pas très loin d'ici. Je connais un endroit secret où l'eau est très froide. Les baleines viennent y chanter.

LIZZIE

Pendant que tu te livres aux concoctions de l'art, j'essaie de gagner mon pain quotidien avec un peu de dignité.

EMILY

Plus je t'écoute, plus je me demande si cette conversation est d'une importance qui justifie un effort pareil. Il y a d'autres travaux imaginaires qui me réclament. *(Elle se détourne de Lizzie)*

LIZZIE

Chaque jour, je suis dans un état différent. Pourquoi la fatigue et l'angoisse sont-elles toujours les mêmes?

Deuxième Voyage dans le vieux monde

EMILY
*(Toujours dans l'espace de la forêt et du totem de la
D'Sonoqua.)*

Les vieux esprits qui hantent ces lieux vont-ils m'accorder leur protection? *(La lumière change, Emily semble environnée d'un halo.)* On dirait que chaque pierre, chaque plante retient sa respiration. Je vous lance ma prière et une once de bonté. *(Craquement de branches et apparition d'un chat qui ronronne très fort.)* Un chat en ces lieux? Tu ne ressembles pas à ces pauvres chats indiens qui meurent de faim. D'où viens-tu chat? Il me semble que je reconnais ta secrète splendeur: tu viens d'Égypte. *(Un autre chat apparaît en ronronnant.)* Toi, d'où viens-tu? De Perse! *(Elle se tourne vers un autre chat qui apparaît en ronronnant très fort.)* Et toi, tu viens de l'Himalaya, n'est-ce-pas? *(Approbation ronronnante des chats.)* Où m'emmenez-vous chats? Nous ne pourrons jamais revenir en arrière! *(Changement de couleur, nous entrons dans le vert profond et sombre des tableaux d'Emily.)*

TABLEAU II

Au bord de la mer avec l'homme des tombes

Nous sommes de retour dans la cour d'honneur de La Maison de toutes les espèces. Emily est en train de faire une cuisson dans son four à poterie. Cette cour d'honneur, orientée vers l'océan, contient aussi des lys, les traces d'un chenil... Sophie, l'amie amérindienne d'Emily, y fera son entrée d'un pas vif. Elle porte une jupe écossaise, un chemisier et, sur les épaules, un grand châle qu'elle fait tenir en place en serrant les coudes, la frange glissant entre ses doigts. Ce châle devrait être d'un jaune éclatant.

SOPHIE

Au feu! Au feu!

EMILY

Pour l'amour du ciel, Sophie, tu vas réveiller tous les pompiers de Victoria!

SOPHIE

Je suis honorée que mon Em'ly prête à ma voix la force du tonnerre. En hiver, quand Frank, mon mari, chauffe le poêle jour et nuit, il fait moins de fumée que le tien!

EMILY

C'est un four à poterie.

SOPHIE

On dirait une grosse chatte qui ronronne comme un moteur.

EMILY

Le feu et la terre, c'est une vieille amitié, ma Sophie. *(Emily regarde dans le four.)* Tu as raison. Le feu lèche la terre comme une chatte lèche ses enfants: le dessus de la tête, la figure... Oh! il vient de la gifler à tour de bras! Mais c'est par jeu, par affection. Il veut la rendre éclatante et incassable comme lui. Tu veux regarder?

SOPHIE
(Elle recule, effrayée)

Oh non! La dernière fois que j'ai regardé dans le feu, j'ai vu un visage sculpté dans de la poudre noire. Un de mes enfants est mort la nuit même.

EMILY
(Emily regarde attentivement dans le feu, cherchant quelqu'un ou quelque chose.)

Je ne vois personne.

SOPHIE

Dans le cercle enchanté, il y a toujours quelqu'un, mon Em'ly. Il permet.

EMILY

Il permet?

SOPHIE

De se laisser doucement glisser dans la nuit semée d'étoiles.

EMILY
(avec ferveur)

Ma Sophie, je tiens à toi comme à un talisman béni par une sainte ou une sorcière. *(Temps.)* Où allais-tu de si tôt matin?

SOPHIE

J'allais au bord de la mer, acheter une pierre à l'homme des tombes. Il me fait des prix pas chers. Il dit que j'ai acheté beaucoup de pierres.

EMILY
(bouleversée)

Ton dernier bébé est mort? La petite fille à qui tu avais donné mon prénom?

SOPHIE

J'avais mis son lit d'osier près du feu de souches pour que le feu la réchauffe et que la flamme éclaire sa petite face aiguë de renarde. J'allais m'assoupir quand, soudain, j'ai entendu un tout petit bruit: le bruit que fait le lys sauvage quand il abandonne un de ses pétales. J'ai pris la petite Em'ly dans mes bras, mais déjà, elle n'avait plus beaucoup de ressemblance avec nous.

EMILY

La petite Emily, fille de Sophie et de Frank, telle une vapeur au-dessus des vieux rosiers et des chèvrefeuilles. *(Temps.)* Ma Sophie orpheline de tout, abandonnée à toutes les bourrasques, combien de fois as-tu vécu cette épreuve?

SOPHIE

Dix-neuf fois. Mais il reste toujours quelque chose à faire qui permette de tenir debout... *(Sophie fait un geste qui part des yeux et ensuite elle ouvre les bras pour s'envoler)* et de s'envoler au-dessus de la mer, où le ciel est plein d'oiseaux qui viennent se percher sur mes bras étendus.

EMILY
(Elle va faire le même geste que Sophie.)

Les oiseaux n'ont peur ni des loups, ni des hommes. *(Inquiète:)* Ils ne feraient pas de mal à une mauvaise herbe comme moi, hein, ma Sophie? *(Pendant qu'elle pose cette question à Sophie, l'homme des tombes, qui est l'Accordeur d'âmes, apparaît.)*

L'ACCORDEUR
Vous, mortelles planétaires, que cherchez-vous?

SOPHIE
Je veux une pierre tombale. Il faut qu'elle soit petite. C'est une question d'économie. *(Il fait apparaître dans ses mains une pierre cristalline qu'il remet avec affection et douceur à Sophie.)*

SOPHIE
(Elle regarde, émerveillée, la pierre cristalline.)

C'est une musique du silence.

L'ACCORDEUR
Il y a une rose blanche prise au cœur du cristal.

SOPHIE
*(Elle rend la pierre à l'Accordeur d'âmes,
avec un peu de regrets.)*

C'est trop beau! Trop cher!

EMILY
(Elle intervient très rapidement.)

Je paierai. C'est combien?

SOPHIE
(avec fierté)

C'est Em'ly, ma meilleur amie!

L'ACCORDEUR
(Il répond à la question d'Emily.)

Combien? Ce que vous avez au fond du cœur.

EMILY
(Elle s'adresse à Sophie, en baissant le ton.)

Avons-nous franchi le seuil?

L'ACCORDEUR

Lequel? Il y en a tellement!

EMILY

Le seuil de la mort naturelle?

L'ACCORDEUR

Pour se rendre jusqu'ici, il faut tout amplifier. Cette faculté d'amplification vous échoit de droit à votre naissance humaine. Ceux et celles qui s'en souviennent me visitent régulièrement.

EMILY

Cette visite donne-t-elle droit à quelque chose?

L'ACCORDEUR
(répondant à la question d'Emily)

Parfois, elle donne droit à une pierre tombale.

EMILY

Quel est le nom de ce seuil?

L'ACCORDEUR

Le seuil de l'Incertain. À première vue, il peut faire naître un sentiment d'insécurité... Mais vous pouvez apprendre à vous familiariser avec lui, un peu comme si vous entreteniez chez vous de grands fauves.

EMILY

Voilà qui plairait à ma sœur Lizzie! Si des lions, des tigres ou même Lucifer en personne lui faisaient des misères, elle leur cognerait dessus. C'est son grand remède!

L'ACCORDEUR

Votre perception est de surface. Elle est préoccupée.

EMILY

Ma carrière, mon avenir la préoccupent beaucoup trop. Elle prétend que je fais tout ce qu'il faut pour ne pas réussir.

SOPHIE
(très fière d'Emily)

Mon Em'ly écrit des lettres de colère à des gens très importants!

EMILY

Qui se croient importants!

SOPHIE

Quoi qu'ils disent, quoi qu'ils fassent, elle s'oppose!

EMILY

J'attends quelque chose qui ne vient jamais: du mouvement, un grand courant avec une force que rien n'entrave.

L'ACCORDEUR

Pourtant la plupart des artistes attendent célébrité et fortune, ces deux choses qu'ils considèrent comme leur étant dues.

EMILY

À Victoria, c'est un exploit que de parvenir à peindre un tableau. Je sais ce qui m'attend.

SOPHIE
(Elle s'adresse à l'accordeur d'âmes.)

La mort de mon bébé la trouble beaucoup. Aujourd'hui, mon Em'ly ne voit que des problèmes: d'une motte de terre, elle peut faire la plus haute des montagnes Rocheuses. Mais la plupart du temps elle est libre et heureuse de transporter partout toutes ces bonnes nouvelles à propos des créatures de la terre.

EMILY
(Elle s'adresse à son tour à l'Accordeur d'âmes.)

Toute ma vie, je me suis bercée d'attentes excessives.

L'ACCORDEUR

Vous avez toutes les réponses.

EMILY
(en colère)

Vous ne répondez jamais aux questions!

L'ACCORDEUR
(Il remet la pierre cristalline à Sophie.)

Elles sont de la même essence que les vôtres. Et de la même famille. *(Il disparaît et Sophie avec lui.)*

EMILY

Mes questions ou mes réponses?

Louisette Dussault et Catherine Bégin

TABLEAU III

Rencontre avec l'Accordeur d'âmes

Nous sommes de retour dans la cour d'honneur de La Maison de toutes les espèces. Emily est en train de préparer un bouquet de lys. Lizzie fait son entrée, regarde sans dire un mot. Emily fait celle qui ne la voit pas. Finalement Lizzie s'approche pour humer le bouquet et l'admirer.

LIZZIE

Mère aimait tant les cultiver, les grands lys sauvages et les autres. Tu te souviens de ce qu'elle disait? *(Signe négatif de la part d'Emily.)* Quand viendra le temps des lys, le règne de Babel prendra fin. Nous aurons la vision du grand temple qui apparut à Ézéchiel, l'Apocalypse entière... *(Elle se tait subitement, submergée par l'émotion.)*

EMILY

Tu as des remords, Lizzie?

LIZZIE

À propos de mère? Pourquoi aurais-je des remords? *(Temps.)* Elle te hante encore, hein?

EMILY

Mère? Tu divagues, Lizzie!

LIZZIE

À chacune sa Némésis. Je pense que tu as passé une partie de ta vie à essayer de rattraper la peine que tu...

EMILY
(pour couper court)

Mère a eu la plus douce mort qu'on puisse espérer dans un monde que les douces morts ne caractérisent pas particulièrement.

LIZZIE

Moi, elle me manque beaucoup. Je rêve souvent à elle. Je la distingue dans l'ombre, assise à côté de père, si belle, si élancée, portant à ses lèvres une tasse de thé, feuilletant un catalogue de peinture sur ses genoux. Je suis dans la cuisine, je la regarde à la dérobée et je frotte, je frotte pour elle, la table de la cuisine. Dans l'intention où je suis de me faire remarquer d'elle, je mets dans le mouvement de mes bras une force incroyable, que personne ne peut imaginer. Soudain elle lève la tête! Mais c'est toi qu'elle regarde Millie! C'est toi qu'elle amenait en pique-nique, seule avec elle!

EMILY

C'était par pitié. Elle voulait me permettre d'échapper aux papotages féroces de mes sœurs aînées. Tout le monde le sait: la dernière-née est le bouc émissaire.

LIZZIE

Tu étais déjà ombrageuse, passionnée d'être seule. À nos conversations, tu préférais la lecture!

EMILY

La lecture est la seule conversation à laquelle je pouvais couper court à tout instant, sans me faire traiter de tous les noms par mes sœurs.

LIZZIE

Nos parents n'étaient pas assez sévères avec toi.
Père, tu étais sa coqueluche!

EMILY

Tant que j'ai été une enfant, il m'a donné une sorte
d'importance. Plus tard, j'ai du m'éloigner de lui.

LIZZIE

Il en a été terriblement blessé.

EMILY

Je n'avais pas le choix: après avoir bouffé toute
l'humanité naturelle qui était en lui, il se préparait à dévorer
la mienne.

LIZZIE

C'était sa manière à lui d'être déprimé. Après sa mort,
j'ai eu la conviction que j'avais perdu le monde en le perdant
de vue, lui, ce soleil un peu voilé, mais si haut dans le ciel.

EMILY

Pour qu'il revienne à la vie tu serais prête à me faire
cuire dans une grande poêle, sur un feu d'enfer, en of-
frande à un Dieu de résurrection. *(Frissonnant.)* C'est un
spectacle qui te serait tout à fait agréable, hein Lizzie?

LIZZIE

Si le deuil est un tourment effrayant, Millie, la jalousie
est pire encore: on dirait les pattes d'un crabe qui marche
de travers au milieu de mon cœur. Des pattes qui ne
coupent pas mais arrachent, arrachent et déchirent.

*(Lizzie se retire. Emily est méditative, puis soudain appa-
raît, marchant dans l'air sur un fil, Susie, la rate blanche
d'Emily. Dès qu'Emily lui adresse la parole, Susie s'arrête
et écoute.)*

EMILY

Tu as entendu ça, Susie? Concoction de l'art. Concoction de l'art! Depuis que je suis au monde je me bats pour acquérir le statut d'artiste, comme un esclave se bat pour acquérir le statut d'être humain. J'ai passé la plus grande partie de mon existence à essayer de comprendre l'élévation d'un arbre, l'indicible vibration qui est le vrai de la vie d'une montagne ou d'un tapis de mousse dans la forêt. *(Dans le four, le rougeoiement monte peu à peu et Susie fait entendre un couinement joyeux et se déplace sur son fil.)* Susie, toute ma vie j'ai lutté contre l'abstraction. Je ne voulais pas que l'abstraction s'empare de mon travail comme elle s'est emparée de nos civilisations. *(La porte du four s'ouvre brusquement et l'Accordeur d'âmes apparaît, assis là tranquillement. Emily tombe à genoux, suffocante, serrant ses deux mains à la place du cœur.)*

L'ACCORDEUR

Je vous revois enfant, avec ce petit chien noir que vous aviez adopté. C'était l'amour fou, entre vous deux. Comme c'était un bâtard, votre père décida de le tuer. En voyant le fusil pointé sur son cœur, le petit chien noir fit le beau pour essayer d'attendrir votre père. La balle lui transperça le cœur...

EMILY
(Pendant que l'Accordeur d'âmes parle, elle est dans la position du petit chien, tendant ses mains dans un geste de supplication.)

Mon petit chien continua dans la mort à faire le beau, comme si ses supplications étaient restées gelées dans ses petites pattes. *(Emily se relève et dans l'air, sur son fil, Susie pousse un couinement joyeux.)*

L'ACCORDEUR

Susie, tu es une bienheureuse créature puisque tu séjournes sur la terre en compagnie d'Emily Carr. *(Couinement de Susie.)*

EMILY

On dirait qu'elle éprouve de l'affection pour vous. Il me semble vous connaître.

L'ACCORDEUR

Nous en sommes à notre troisième rencontre. Vous avez oublié la première.

EMILY

Au bord de la mer avec Sophie... L'homme des tombes! Qui êtes-vous? D'où venez-vous?

L'ACCORDEUR D'ÂMES

Je suis un accordeur d'âmes. J'appartiens à une administration profondément intelligente. Je possède une aptitude illimitée à communiquer avec les mortels planétaires.

EMILY

Accordez-vous toutes les âmes?

L'ACCORDEUR

Uniquement celles qui en font la demande. Il faut que la pensée de cette personne manifeste une tendance à l'adoration et à la sagesse.

EMILY

Tout le monde à Victoria vous le confirmera: Emily Carr est une excentrique, une folle! Quand je marche dans les rues on me regarde comme si je traînais quelque chose de pitoyable et de perdu. Pourtant, je surplombe mon destin!

L'ACCORDEUR

Dès que quelqu'un, sur la terre, fait un choix conscient, un accordeur d'âmes entre à son service.

EMILY

Je ne connais personne et personne n'est à mon service!

L'ACCORDEUR
(Il ferme sur lui la porte du four.)

Je suis entièrement soumis à votre vouloir.

EMILY

Ni vous, ni personne!

L'ACCORDEUR

Je resterai toujours sensible à votre volonté et à vos actes.

EMILY
(Elle se précipite pour ouvrir la porte du four.)

Ne partez pas!

L'ACCORDEUR

Elle vous transperce encore le cœur, n'est-ce-pas?

EMILY
(Elle est dans la position suppliante du petit chien.)

Je lui ai fait perdre toute sa valeur à cette balle qui nous a transpercé le cœur, mon petit chien et moi. J'en ai été indigne. Je l'ai dégradé. Il ne faut avoir aucune pitié pour ceux qui ont pitié d'eux-mêmes!

L'ACCORDEUR

On croirait entendre une spécialiste de la douleur et des désastres.

44

EMILY

Je ne suis spécialiste en rien mais j'aime les maisons.
Il y en a qui disent qu'une maison tient toute sa signification
de ceux qui l'habitent. Je pense que sa signification est bien
plus grande: sa forme, ses couleurs, son immense poids,
sa dignité. Son mystère. J'ai fait bâtir la mienne sur un lopin
de terre que mon père m'a légué. Au-dessus du lopin de
terre, plane encore l'esprit de la maternité: celui de la vache
de notre enfance, à mes sœurs et à moi. Une grande vache
blanche et rousse, aux cornes pointues. Bien sûr, la vache
est morte depuis longtemps, mais je pense souvent à elle,
dans une espèce d'exaltation secrète qui n'ose pas dire
son nom.

Quand la nuit tombe, que les Indiens et les Indiennes
s'allongent sur la terre pour le magnifique voyage du
sommeil, soudain, dans les forêts de toute la côte ouest, les
lumières et les oiseaux se taisent quand elle apparaît,
étincelante dans l'air nocturne, celle que j'ai baptisée La
Maison de toutes les espèces.

L'ACCORDEUR

Pour quelqu'un qui n'hésite pas à étendre son être
jusqu'à ses limites, cette Maison est l'expression illimitée
de tout ce qui existe sur cette planète.

EMILY
(tournant sa colère contre la maison, fébrile, accusatrice)

Pourquoi m'as-tu désertée? Oubliée? Tu devrais me
protéger du froid, me garder des indésirables. Parfois, le
bonheur que j'éprouvais à m'approcher de toi était si fort
que je n'aurais pu le partager même avec l'être le plus cher!
Je t'amenais avec moi en voyage et je glissais des frag-
ments de toi, dans les tableaux que je peignais.

L'ACCORDEUR
Ce n'est pas ce qui fait le plus mal.

EMILY
J'ai cessé de peindre. Je ne suis plus une artiste. Je ne vais plus dans ces lieux où les esprits de la nature font entendre leurs voix tendres et éternelles.

L'ACCORDEUR
(Dans sa main il tient une petite poterie indienne qui est un petit esprit de la terre orné d'un motif indien.)

Pourtant vous avez créé ceci.

EMILY
(d'un geste qui veut tout balayer)

Si vous saviez comme j'ai honte. J'ai prostitué l'art de mes amis. J'ai fabriqué par centaines ces petites poteries indiennes que les touristes adorent acheter. Je ne voulais pas en arriver là. Je ne voulais pas. Survivre à Victoria c'est comme survivre enfermée dans un cercueil avec juste une toute petite partie de votre être qui repose sur le couvercle. J'en ai été réduite à transformer ma Maison en maison de chambres. Des couples à l'esprit étroit y habitent. Tous les jours ils me demandent de faire pour eux le maximum en retour d'un maigre loyer qui ne vaudra jamais, jamais, tout ce que je dois faire pour eux. Ils invitent dans ma Maison des gens qui rient de mon travail.

(Nous entendons des chuchotements et des rires étouffés. Ensuite le ton monte comme s'il fallait qu'Emily entende tous les commentaires qui ridiculisent sa peinture.)

UNE VOIX
Tu vois ce que je vois?

UNE VOIX
Oui. Qu'est-ce que c'est?

46

UNE VOIX

C'est une insulte au bon goût!

UNE VOIX

Ce n'est pas de l'art. Elle ne peint pas, elle barbouille!

UNE VOIX

Et les couleurs?

UNE VOIX

Elle doit être daltonienne!

UNE VOIX

Quelle est donc cette chose assise sur un poteau? Un oiseau?

UNE VOIX

C'est une poule en train de faire caca!

L'ACCORDEUR

Ils reviendront, de plus en plus nombreux, attirés par cette vibration qui se dégage de vos tableaux.

EMILY

C'est la lumière de ma force!

L'ACCORDEUR

Dans un autre univers, on dit que c'est la lumière pilote. On l'a décrite comme la lumière qui éclaire tout être venant dans le monde. *(Les rires et les chuchotements reviennent. Sur son fil, Susie pousse un couinement affolé avant de disparaître. L'Accordeur s'apprête à fermer sur lui la porte du four.)*

EMILY
(pour le retenir)

Qui vous a parlé de moi?

L'ACCORDEUR

Mes amis indiens et Marius Barbeau.

EMILY

Qui est Marius Barbeau?

L'ACCORDEUR

Un anthropologiste du gouvernement canadien. *(Il ferme la porte du four. On ne le voit plus.)*

EMILY

Je me souviens de notre première rencontre... Mon Dieu, c'était vous! J'avais sept ans... C'était au fond du jardin, près des groseilliers blancs... Le soleil éclaboussait les ailes des papillons. Soudain, j'ai vu venir un cheval blanc, un coursier resplendissant chargé d'un cavalier. Ce cavalier avait un visage d'or, surmonté d'un lourd chignon de cheveux bouclés, d'or eux aussi. *(Emily se précipite vers le four, en ouvre la porte et l'Accordeur est là, tel qu'elle vient de le décrire.)*

TABLEAU IV

Vers l'est avec les oies sauvages

LIZZIE

(Retour de Lizzie. De sa poche elle sort une enveloppe blanche, si blanche qu'elle en est phosphorescente, et la remet cérémonieusement à Emily.)

C'est un miracle que cette lettre te parvienne... On te fait même changer de sexe!

EMILY
(lisant son adresse dactylographiée)

Monsieur Emile Carr, Victoria... *(Elle regarde l'enveloppe puis l'ouvre fébrilement.)* Elle porte le cachet de la poste de Toronto... Et la signature de Marius Barbeau! *(Elle ferme les yeux, n'ose pas lire la lettre.)* Va-t-elle me remplir intérieurement où me vider? *(Elle se met à lire à voix haute.)* Cette invitation est pour Madame Emily Carr et une quarantaine de ses tableaux. Nous organisons une exposition majeure à laquelle participeront les plus éminents artistes du Canada: le Groupe des Sept. Nous la prions instamment de se joindre à cette exposition prestigieuse qui aura lieu à Ottawa, à compter du mois de décembre. Nous sommes persuadés que cette exposition marquera une étape importante dans l'histoire de l'art au Canada. Nous suggérons à Madame Carr de se rendre d'abord à Toronto pour y rencontrer le Groupe des Sept: tous sont impatients de vous connaître. Veuillez agréer... etc... Marius Barbeau. *(Emily a le souffle coupé.)*

LIZZIE

Le Groupe des Sept? Qui sont-ils?

EMILY

Je n'en ai pas la moindre idée. De toute façon, je ne peux pas y aller.

SOPHIE
(qui fait son entrée au pas de course)

Ton corps a déjà l'attitude du départ, mon Em'ly!

EMILY
(Elle hésite.)

Je ne partirai pas.

SOPHIE

Je prendrai soin de tes bêtes et de tes fleurs.

LIZZIE
(que Sophie et Emily regardent intensément)

Je veillerai sur ta maison *(Emily et Sophie exécutent une petite danse guerrière et triomphante que Lizzie regarde sans sourciller.)* Et maintenant, il faut te vêtir comme une vraie dame, Millie! *(Prendra place ici, une scène muette et entraînante dans laquelle Lizzie, secondée par une Sophie dont les goûts divergent un peu, s'entête à faire porter à Emily des vêtements de «dame». Évidemment Emily se rebiffe mais enfin, elle est prête à partir en voyage.)*

SOPHIE

Les grands voiliers d'oies sauvages ne traversent jamais le ciel de Victoria. Elles pointent vers l'est, comme toi. Tu ne m'oublieras pas, mon Em'ly?

EMILY

Je ne t'oublierai pas, ma Sophie. Où que je sois sur la terre, chaque soir, avant d'aller dormir, je laisserai toujours du pain sur la table. Sur le poêle, un grand pot de café brûlant, pour les esprits des morts.

SOPHIE
(Elle s'adresse dorénavant à Lizzie.)

Mes enfants ont encore faim et soif. Ils continuent à crier comme des hirondelles et je les entends qui répètent sans cesse: pourquoi s'est-il trouvé deux mamelles pour nous allaiter, deux genoux pour nous accueillir?

LIZZIE

C'est le démon qui leur souffle ces paroles.

SOPHIE

Ils pèsent sur mon corps. On dirait que mes enfants sont plus lourds que tout le sable de la mer une fois amassé. J'ai demandé à la Mère des herbes de bien vouloir prendre soin d'eux.

LIZZIE

La Mère des herbes?

SOPHIE

C'est la Lune, madame Lizzie. Au sommet de la montagne est suspendue la Lune. Les cœurs de tous ceux qui ont existé sont suspendus à elle.

LIZZIE
(incrédule mais troublée)

Vraiment! Le cœur de ma mère? Celui de mon père? Non! Ne répondez pas à cette question car il n'est pas convenable que je la pose!

SOPHIE

Leurs cœurs sont en route depuis longtemps. La Mère des herbes est prête à les recevoir.

LIZZIE
(d'une voix hésitante et timide)

Madame Sophie, croyez-vous à un être suprême?

SOPHIE

C'est une question bizarre... Mais les Blancs sont bizarres. Croyez-vous au soleil? Croyez-vous à votre propre sang? Pour nous, il est absurde d'examiner l'existence de ce Grand-Pouvoir-Mystérieux qui produit des bisons, des courges, des océans et des poux! Nous ignorons ce doute qui vous ronge. De temps en temps, nous voyons les Blancs se démener pour de «belles et bonnes causes», en faisant des discours, en prêchant ce qu'ils n'ont plus: l'innocence, la compassion. Vous réservez trop de babillage à votre peur de l'enfer et à votre nostalgie d'un paradis. Il n'y a que devant des lits de mort et de naissance que vous semblez prêts à vous taire un peu.

LIZZIE
(transfigurée puis victime d'un étourdissement pendant qu'elle écoute Sophie)

Savez-vous ce que je viens de ressentir? L'étourdissement de bonheur qui m'a pris devant ma première jatte de lait de vache!

SOPHIE
(qui vient au secours de Lizzie)

Moi c'était du lait de jument! Au bord du chemin il y avait deux grands bouleaux et plus loin, un cerisier en fleurs d'où tombaient des voix d'oiseaux. *(Parlant au temps présent.)* Le vent remue les feuilles des bouleaux et la toile d'araignée...

52

LIZZIE

Des voix cristallines et des fleurs se répandent sur la surface de la Terre. *(Temps.)* La joie de ce jour-là, le temps qu'il faisait ce jour-là, la lumière et l'énergie...

SOPHIE
(remuée et heureuse)

Oh madame Lizzie! Vous avez le regard de ma mère jeune.

LIZZIE

Une grande jatte de lait de jument ou de vache! On n'a pas idée des odeurs qui remplissent un cerveau d'enfant, hein, madame Sophie? *(Elle ferme les yeux et semble vouloir s'assoupir après s'être vaguement grattée.)*

SOPHIE
(Elle va secouer Lizzie pour la réveiller, comme si elle pressentait un sommeil beaucoup plus profond et plus dangereux.)

Réveillez-vous! Réveillez-vous!

LIZZIE
(qui s'éveille en sursaut et joue l'indignée)

Je ne dormais pas! À mon âge on ne dort pas, on fait la sieste. Les seuls moments de volupté de la journée: se gratter un peu et faire la sieste.

SOPHIE

Je sais ce qu'il vous faut, madame Lizzie. Il vous faut un bon massage. *(Sophie entreprend de lui masser la nuque et les épaules. Lizzie proteste un peu mais se laisse faire.)*

LIZZIE

Vous semblez oublier que c'est moi, la masseuse. La meilleure de la côte ouest! *(Avec orgueil:)* Déjà, à une époque lointaine où je savais à peine lire, autour de moi on chuchotait que mes mains savaient dénouer les nerfs, apaiser les pires tensions.

SOPHIE

Quand j'en aurai terminé, vous sentirez votre sang pétiller et courir dans vos artères aussi vite qu'un feu d'herbes. *(Regardant Lizzie:)* Vos yeux brillent déjà comme des prunes! *(Elle va maintenant lui masser les pieds.)* Mon Frank... c'est mon mari, mon amant, dit que mes massages lui donnent des forces surnaturelles. Nous avons de grandes fêtes avec nos corps. Frank dit qu'il a l'impression de baigner dans un fluide ensorcelé...

LIZZIE

Ensorcelé et... palpable! *(Elle regarde Sophie comme si elle la voyait pour la première fois.)* Mais qui êtes-vous, madame Sophie?

SOPHIE

Personne. Je ne suis personne.

LIZZIE

Ma sœur dit que vous êtes une artiste.

SOPHIE

Je n'ai pas marché vers l'école en répétant mes leçons. Je fais des paniers que je tresse en intercalant des fibres végétales teintes rouges, noires ou jaunes. J'aime surtout broder des costumes avec des piquants de porc-épic. *(Grimace de Lizzie.)* Ramollis dans l'eau, on peut les aplatir et les teindre de plusieurs couleurs... Mais les Blancs préfèrent la broderie avec des perles de verre! *(Elle crache par terre.)* Je ne suis pas une artiste comme mon Em'ly: dans son tunnel, elle ouvre des portes pour nous rapprocher.

LIZZIE

Nous rapprocher de quoi? De qui?

SOPHIE

De la lumière! Des uns et des autres! De la dernière porte.

LIZZIE

Je suis en train de me dire que ma vie vient de connaître un tournant soudain... Mais qu'il est sans doute trop tard pour que je risque de connaître la nature de ce tournant. *(Sophie cesse de la masser. Elles sont face à face.)*

SOPHIE

C'est une chose qui nous arrive à toutes, Madame Lizzie. La vie est bonne et évidente... Pourtant, comme des animaux qui se rencontrent en pleine forêt, nous sommes indifférents ou impitoyables! *(Chacune s'en va de son côté.)*

Après le départ de Lizzie et de Sophie, Emily s'affaire à des préparatifs de départ. Elle va rouler des toiles qu'elle va glisser dans un grand sac d'osier souple qui est sûrement de la fabrication de Sophie. Elle va tirailler un peu ses nouveaux vêtements de dame puis, dans un geste de révolte, elle va retirer le chapeau que Lizzie lui a installé sur la tête et le balancer au loin. Dans un deuxième temps, le four à poterie commence à se réchauffer et à faire entendre un sifflement de locomotive. Nous entendrons aussi le grincement des roues sur les rails et l'ébranlement des wagons. Nous pouvons identifier ces bruits même s'ils ne sont pas réalistes.

EMILY
(qui se concentre)

Le café, le pain, une pensée d'adoration pour les esprits des morts. *(Temps, bruit du train qui commence à prendre de la vitesse.)* Sophie m'a accompagnée jusqu'à la gare. Quand le train s'est ébranlé et qu'elle a levé le bras pour me dire au revoir, dans mon cœur les oiseaux ont chanté pour ratifier son geste d'adieu. Ma Sophie a cette terrible pudeur des gens qui ont côtoyé le mépris et qui hésitent à le dire, comme si elles avaient honte. J'ai souvent pleuré en l'écoutant. Non que c'était terrible et insoutenable. D'une certaine façon, ça l'était. Si j'ai pleuré c'est parce que la voix de Sophie est celle de l'humanité.

J'ai quitté Victoria le 8 novembre. Le 11 novembre, j'étais à Edmonton où les arbres avaient gardé leurs maigres feuilles comme des flammes dans le vent. Quand je suis arrivée à Winnipeg, une grosse pluie avait dénudé les arbres et amené l'hiver en une seule nuit.

Vers l'est avec les oies sauvages! Cinq jours et cinq nuits à glisser sur des rails, à traverser l'air, de plus en plus vite. Nous volons, mais nous volons bas!

Pendant le voyage, j'ai lu ce livre qu'on vient de publier à propos du Groupe des Sept: ce sont de véritables géants! Que Dieu les bénisse. Ils veulent révolutionner l'art au Canada: que Dieu les protège!

TABLEAU V

Un amateur talentueux

Nous sommes à Toronto dans le studio du Groupe des Sept. Ce lieu en est un où ils se réunissent, travaillent et exposent. Quelques tableaux sont accrochés, ils sont d'un format assez petit et sont signés Jackson. Emily se dirige vers les tableaux et les regardent attentivement avec un véritable plaisir.

EMILY
(Elle s'adresse aux tableaux...)

J'aime en particulier vos paysages de neige du Québec, Monsieur Jackson.

TABLEAU JACKSON

C'est fort aimable à vous. Vous êtes un connaisseur, Madame?

EMILY

Carr, Emily Carr.

TABLEAU JACKSON

Ah! oui! Le peintre de la côte ouest. Votre mari a du talent, Madame *Emile* Carr.

EMILY

C'est moi, le peintre! Je ne suis l'épouse de personne.

TABLEAU JACKSON
(étonné)

Une femme peintre?

EMILY

Un homme peintre et une femme peintre: ça fait la paire!

TABLEAU JACKSON

Avec les femmes, on ne sait jamais à quoi s'attendre. Quand on le sait c'est pire! *(Il rit, Emily est furieuse.)* Votre silence est à couper au couteau.

EMILY

C'est admirablement dit: je vois des couteaux suspendus dans l'air, des meurtres en sursis. *(On voit les couteaux, Emily se déplace pour regarder un autre tableau, toujours de Jackson.)* Les tableaux que vous avez peints en haut de la rivière Skeena sont étonnants. Vos tableaux d'Indiens ont un rythme neuf et large. De la poésie.

TABLEAU JACKSON

Emily Carr, je suis prêt à reconnaître qu'il y a chez les femmes peintres des amateurs talentueux!

EMILY

Vous faites sans doute allusion à celles qui peignent des «Vierges à l'enfant» ou des natures mortes! Dans votre club privé d'hommes peintres-des-cavernes, les femmes ne sont pas admises. Surtout celles que vous rangez cavalièrement dans l'humiliante catégorie des amateurs talentueux!

TABLEAU JACKSON
(exaspéré)

Mais enfin, que voulez-vous que je vous dise? Que voulez-vous entendre?

Troisième Voyage dans le vieux monde

Apparition de la D'Sonoqua, incarnée par Sophie. C'est la déesse du village des chats, tableau peint en 1931-1932 et aussi nommé Koskimo.

SOPHIE-D'SONOQUA
(Elle s'adresse à Emily.)

Le voyage s'est accompli. Une lune rouge et basse a paru dans le ciel. Un loup solitaire a levé la tête pour pousser sa plainte vers les meutes de loups qui peuplent les sombres forêts d'autres galaxies, d'autres univers.

EMILY

Es-tu végétale, minérale ou d'une certaine façon, complètement humaine et divine?

SOPHIE-D'SONOQUA

À quoi ressemblons-nous? À de vieux chiens apeurés. Nous sommes semblables à la neige qui fond au soleil. Vos historiens l'affirment: notre temps n'a jamais existé! Nous n'avons jamais eu d'époque, d'ère ou de siècle sur la Terre. Nos morts sont sans visage, nos villages sont à l'abandon et la cendre se refroidit car les feux de nos empires se sont éteints depuis longtemps. Les ombres du soir s'épaississent sur nos restes disséminés qui traînent encore aux environs des sites nataux. *(Découvrant sa poitrine, elle laisse voir sa cage thoracique qui est en creux et contient un ossuaire.)* Ne te laisse pas tromper par les apparences: ceci est le contraire d'un cimetière! Une incomparable grandeur y habite. Elle refuse de disparaître...

EMILY

Je sais tout ce que tu as vu passer: les femmes terrorisées qui fuyaient avec leurs enfants, les guerriers, les incendiaires, le grand déploiement des missionnaires, de ceux qui entourent les églises...

SOPHIE-D'SONOQUA

Ils sont tous passés devant les totems, les vivants et les vivantes de l'infortunée famille humaine. Nous sommes encore là avec nos yeux perdus... Qui donc accomplira le travail du souvenir? Qui donc rappellera que les vies vécues ne furent pas inutiles!

EMILY
*(Elle prend une tablette, un fusain
et se prépare à faire un croquis, à dessiner les totems.
Les chats sont présents.)*

Je travaillerai pour le bien général. Toi qui contemples les constellations, je te reconnais la D'Sonoqua, dans ton tronc de cèdre rouge. Je reconnais ton esprit chantant, jeune et frais, qu'aucune violence ne peut avilir. *(Emily travaille au milieu du ronronnement des chats.)* Je peindrai ces grands êtres qui ont semé dans la Terre des grains de feu et les jeunes Indiennes comme les très vieux verront comme ils étaient beaux, les totems. Un jour, ce continent aura acquis un nouvel état d'esprit. *(Elle travaille. Ronronnement des chats, cri du hibou, craquement des branches.)* *(Lauwren Harris fait son entrée avec un tableau sous le bras. Son visage s'illumine en voyant Emily.)*

HARRIS

Emily Carr! Je suis Lawren Harris, du Groupe des Sept. J'aime votre travail: ce que vous peignez est saisissant de force et d'inspiration. À chaque fois que je contemple vos tableaux, ils me lavent les yeux et le cœur, ils me donnent envie de peindre, de me dépasser! *(Grave, avec émotion:)* Emily Carr, vous êtes l'une des nôtres.

EMILY
(visiblement bouleversée)

Jamais je n'oublierai ce que vous venez de dire. *(Un ange passe...)*

HARRIS

Que pensez-vous de la peinture de Jackson?

EMILY

Quand je regarde les tableaux de Monsieur Jackson, aussitôt une pensée s'impose: ce peintre n'est pas de la côte ouest.

HARRIS

Le grand espace de vos lieux n'habite pas ses tableaux.

EMILY

Il ne peint ni les arbres géants qui manifestent toutes les forces de la terre, ni le bouillonnement des nuages, ni nos rivières gonflées par les pluies, qui projettent les saumons dans l'azur!

HARRIS

Vos montagnes qui se dressent au-dessus de tout avec leurs versants vernissés comme des poteries de Chine!

EMILY

Ce que peint Monsieur Jackson est tout petit. Mais ses tableaux sont supérieurs aux miens. Il prend des libertés que je n'oserai jamais prendre.

HARRIS

Pourtant, quand je compare vos tableaux aux siens, pour moi, il est évident que vos tableaux ont quelque chose que les siens n'ont pas.

EMILY

L'amour pour les gens et le pays.

HARRIS

C'est exactement ça: dans vos tableaux il y a l'amour, plus la beauté!

EMILY

Si je mets de l'amour et de la beauté dans mon travail, c'est peut-être parce qu'il y a en moi de la pitié pour cette beauté qui finira par mourir.

HARRIS

La beauté meurt-elle à cause de la matière ou à cause de la manière dont nous la peignons? *(Temps.)* L'amour plus la beauté, plus la pitié: c'est ce qui approche le plus d'une définition de l'art.

EMILY

Il ne faut pas définir l'art. Il est chargé de vitalité, de jeunesse, et ne meurt qu'accidentellement. Il n'existe aucune loi de mort ou de décrépitude pour l'ART!

HARRIS

Je veux vous montrer mon dernier tableau. J'ai besoin de connaître votre opinion.

EMILY
(touchée et un peu étonnée qu'on lui demande son avis)

Mon opinion? *(Elle regarde le tableau.)* Sa force est prodigieuse! A-t-il un titre?

HARRIS
(très ému par l'appréciation d'Emily)

«Au-dessus du lac Supérieur».

EMILY

Depuis toujours, mes yeux voulaient se poser sur un tableau comme celui-là.

HARRIS

Qu'en pensez-vous?

EMILY

Je pense que ce tableau est le fruit accompli d'un travail intérieur.

HARRIS
(très vibrant)

Emily, la première fois que j'ai contemplé votre travail, j'ai pensé que c'était par-delà tout ce que j'avais vu. Vos tableaux sont tellement imprégnés de vie. Vous peignez des images! Des éclats! On dirait que vous soumettez tout votre être à la force des couleurs. Cette façon de peindre les vieux totems du monde amérindien: vous les placez sur un piédestal de phosphorescence, entre deux ailes de lumière. Même s'ils viennent de la vieille âme de l'humanité, vos tableaux ont une jeunesse inouïe!

EMILY
(Elle cherche où s'asseoir car elle a un étourdissement.)

Aidez-moi.

HARRIS
(Inquiet, il la prend dans ses bras.)

Vous vous sentez mal?

EMILY
(Elle éclate de rire.)

Je ne me suis jamais sentie aussi bien! En quelques minutes j'ai entendu plus de choses stimulantes qu'en cinquante ans à Victoria. *(Elle se dégage.)*

HARRIS
(Il lève les deux bras, ouvre les mains.)

Saluons l'énergie des rencontres!

EMILY

Saluons le Groupe des Sept! La révolution! L'incompréhension du public, les injures des critiques conservateurs seront nos lettres de noblesse.

HARRIS

Ce XXe siècle matérialiste ne trace que des lignes droites. Heureusement, les routes sinueuses et parfois tortueuses, sont celles des artistes. *(Temps.)* Emily, quel est ton secret?

EMILY
(Elle passe elle aussi au tutoiement.)

Harris, quel est le tien?

HARRIS
(pour la taquiner)

Les femmes d'abord!

EMILY

Je n'ai pas de secret. J'essaie de me garder vivante, de ne pas me laisser étouffer par les hypocrites traditions! Quand on est jeune, c'est facile... Mais les hommes et encore plus rarement les femmes qui continuent sur la lancée de leur jeunesse pendant vingt ans, trente ans, découvrent un jour combien ce qui de loin ressemblait au paradis de la liberté n'est que décor, grand rideau de scène qui, en se levant, dévoile la triste caravane de la pauvreté sordide et des artistes épuisés. C'est dans ce décor que le diable joue son poker d'enfer! Il ne m'aura pas! *(Temps.)* Quel est ton secret?

HARRIS

Dans mes tableaux, j'essaie de rendre visible toute la spiritualité de la matière. Je refuse d'écouter et d'entendre tous ces gens frivoles qui rient de moi parce que je dis qu'il y a une présence réelle dans le règne minéral, végétal.

EMILY

Dans les pins géants, j'ai vu danser les formes divines de ceux qu'on nomme les esprits des forêts. Parfois, il m'arrive d'entendre la voix des totems: c'est en toi que nous continuons notre existence, disent-ils. Je me sens transformée, comme une maison peut l'être, par la présence de ses invités prestigieux. *(Temps.)* Que penses-tu de mes couleurs?

HARRIS

En toute sincérité? Emily, je n'ai jamais rien vu de semblable.

EMILY

Et mes verts? Ils disent que mes verts sont trop sombres. Beaucoup trop sombres! S'ils avaient raison...

HARRIS
(s'emportant)

Ils n'y connaissent rien! C'est toi qui as raison: le vert est une couleur de l'ombre. C'est en partie parce qu'ils sont sombres que tes tableaux donnent cette extraordinaire impression de vie. D'énergie!

EMILY

Au printemps, quand le vert apparaît dans les prairies, dans les arbres avec sa tendresse timide, peu à peu, on peut percevoir la vibration éclatante du vivant. Mais on dirait que le vert ne vient pas seul, qu'il projette une autre vitalité qui a un ton plus dense, plus sombre. Je crois que c'est là que se cache la source de toutes les transmutations!

HARRIS

Van Gogh a peint ses lumineux tournesols dans des tons sombres parce qu'il connaissait la vraie couleur des tournesols, ces fleurs qui ont volé au soleil le secret du jaune.

EMILY

Quand je commence un tableau, je veux capter mon sujet par le mouvement des couleurs.

HARRIS

Que penses-tu de la perspective?

EMILY

La fameuse perspective! *(Baissant le ton comme si elle craignait que le tableau Jackson l'entende:)* Harris, entre nous, la perspective, c'est de la pure magie! Elle s'obtient facilement par les couleurs. Par la magie des couleurs!

HARRIS
(se réjouissant)

J'imagine l'expression de tous ces experts qui ne jurent que par la perspective des lignes. Celle des couleurs, ils ne peuvent tout simplement pas l'imaginer!

EMILY

Même s'il n'y avait personne pour me soutenir, je savais que j'avais raison.

HARRIS

Une peinture qu'on soutient, c'est une peinture qui tombe.

EMILY

(Elle le regarde un peu comme s'il était une apparition.)

Tu es si jeune. Tu n'as pas le droit de vieillir, Harris!

HARRIS

Je vieillirai, pourtant...

EMILY

Non! La vieillesse est antispirituelle! La vieillesse est tellement laide et mortelle que parfois elle en est presque irréelle.

HARRIS

Souris-moi! *(Emily a un beau sourire de détente.)* Ton visage a le grain doré de la peau des enfants.

EMILY

Chez moi, l'isolement et la solitude dans lesquels je travaille tendent à épuiser la charge d'énergie de ma vieille âme. Victoria... telle la nébuleuse d'Andromède aux fins fonds du monde. Pourtant, je n'ai rien d'une recluse. Oh non! Dès que j'ai terminé les heures de travail que ma Maison et mon métier m'imposent, j'aspire aux rencontres, aux échanges, aux conversations. Hélas, peu de gens me visitent... Je veux dire des artistes! Mais j'écris de nombreuses lettres et je guette les réponses.

Ma Maison et moi, nous tenons beaucoup à l'hospitalité que nous pouvons accorder aux amis de rencontre et même aux étrangers. Tu devrais voir la cour d'honneur de cette Maison de toutes les espèces: elle est grande avec des arbres fruitiers et des parterres de lys. J'y cultive l'amitié avec des chiens, des chats, des oiseaux de passage, un petit singe et une souris blanche. Au bout de mon terrain, il y a des truites dans des eaux claires. Je ne les pêche pas, je les laisse dans la main de la nature. À la réflexion, les animaux et moi, nous sommes très heureux. Mais le bonheur leur est plus facile qu'à moi. Je participe aussi à la vie de mon amie indienne Sophie. Tous les jours, son cœur généreux vient me saluer. Mais attention! Dans la vie, ma Sophie ne se dérange pas pour rien: elle m'apporte, chaque fois, des signes, des devoirs ou des leçons. J'apprécie aussi les livres, les vins blancs glacés et bien sûr, l'indispensable courrier. *(Elle s'arrête gênée.)* J'ai l'air de chanter mes propres louanges, n'est-ce-pas? *(Temps.)* J'ai besoin de toi.

HARRIS
(dans le même élan du cœur)

Moi aussi, j'ai besoin de toi.

TABLEAU VI

Comme tous les gens dans la douleur

Nous sommes dans le studio d'artiste d'Emily à Victoria. Depuis son retour de la côte est, elle a travaillé sans relâche et dans son espace de travail les tableaux s'entassent. Constatant que son studio devenait trop petit, Emily a pensé à un astucieux système de poulies, câbles qui lui permettent de hisser les meubles de ses parents au plafond de l'atelier. Nous ne voyons pas les meubles quand ils sont hissés, seulement ces câbles qui ont une présence dramatique et métaphorique. Quand Lizzie fait son entrée, Emily est en train de hisser la table de leur mère.

LIZZIE
(scandalisée, hors d'elle par le spectacle d'Emily hissant la table sacrée de leur mère)

Au secours! À l'aide! J'ai toujours pensé que tu étais complètement folle!

EMILY

Pour l'amour du ciel, Lizzie! Cesse de crier! Tu vas réveiller les morts.

LIZZIE

Tu veux que je sois la complice de ta dernière aberration? Ne compte pas sur mon silence, la petite! Il y a des bornes qu'on ne doit pas franchir.

EMILY
(essayant de la raisonner)

Lizzie, ce n'est pas un être humain que je hisse là-haut: c'est un meuble lourd, sourd et indifférent.

LIZZIE

Je me demande comment c'est l'enfer! Ça ne peut pas être aussi terrible que ce que tu me fais vivre, jour après jour, depuis que tu es au monde.

EMILY

Tu n'as jamais eu le désir de me comprendre. Tu as celui de me juger, de croire que je te tourmente pour mon plaisir.

LIZZIE
(essayant de se maîtriser, de se calmer)

Pourquoi hisses-tu la table de mère au plafond, la petite?

EMILY

L'atelier est devenu trop petit. Depuis mon retour de la côte est, j'ai travaillé jour et nuit...

LIZZIE

Je n'ai jamais vu autant de canevas, de pinceaux, de tubes de couleur, de papier, d'esquisses dans ton atelier, Millie.

EMILY

Ce sont les plus belles années de ma vie.

LIZZIE

Les miennes sont loin derrière... Autrefois, un visage radieux offert à la pluie, à ces vieilles larmes divines... Les baignades dans la mer, nos glissages sur la colline ennei-

gée. Lizzie et la petite dans leurs costumes du dimanche:
je mettais un brin de romarin dans tes cheveux et dans les
miens.

EMILY

Le dimanche matin, nous étions presbytériennes!

LIZZIE

Le dimanche soir, nous étions anglicanes. Je me
souviens que nous préférions la religion de mère, beaucoup plus aimable, à celle de père, si sévère, si stricte.

EMILY

Le dimanche matin, à cause de la longue marche vers
l'église de père juchée en haut de la colline, j'avais toujours
mal à mes petites jambes presbytériennes. Le dimanche
soir, c'était une faveur spéciale que d'assister au service,
dans l'église anglicane de mère. J'aimais tant marcher
sous les étoiles... *(Vindicative:)* Quand tu voulais bien te
charger de moi!

LIZZIE
(outrée)

J'avais tellement peur de toi que je ne te refusais rien!
Tu me mordais jusqu'au sang.

EMILY

Tu me traitais de petite cruche!

LIZZIE
(triomphante)

La plupart du temps, tu le méritais, la petite!

EMILY

Quand tu me contraignais à enfiler cette robe de laine
qui avait une odeur de fiente mouillée, de vase et de ver de
terre, hein Lizzie?

LIZZIE

(Refusant de discuter davantage, Lizzie s'empare du câble et se met à hisser, dans un bruit de poulies, la table de leur mère. Au bout d'un moment, elle s'arrête pour reprendre son souffle.)

Ici, je touche du doigt combien j'ai vieilli.

EMILY

J'ai remarqué que tu traînais un peu de la patte. *(Inquiète, sans en avoir l'air:)* Tu es toujours aussi forte?

LIZZIE
(enthousiaste)

Voyons, la petite! Les meubles impossibles à mouvoir, les fauteuils comme des statues, les poignées de portes inempoignables sont encore pour Lizzie!

EMILY
(Elle se joint à Lizzie pour hisser la table de leur mère.)

Ces meubles obèses, avec leurs silhouettes d'ascenseur me font toujours penser à la reine Victoria! *(Elles rient.)*

LIZZIE
(Elle admire le système ingénieux d'Emily.)

Tes suspensions ressemblent à des nids d'aigles.

EMILY

C'est Frank, le mari de Sophie qui les a installées. *(Elles cessent de hisser.)* Mère est enfin arrivée à destination. Elle n'existe plus mais elle a tellement existé.

LIZZIE

Un jour, il y a très longtemps, elle tailla ses cheveux. En la voyant, j'éclatai en pleurs: c'était une autre mère. J'ai

76

eu le pressentiment fulgurant de la façon dont à sa mort elle me manquerait.

EMILY

Quand elle est morte, je me suis sauvée.

LIZZIE

Comme bien des gens dans la douleur, tu as pensé qu'un changement de décor t'aiderait à oublier ton chagrin.

EMILY
(secouant le câble de la table de leur mère)

Comme si on ne portait pas sa douleur et son malheur en soi. *(S'adressant à la table là-haut:)* Qui donc nous soutient dans le vide? Dans les tremblements de terre des angoisses? Y a-t-il quelqu'un pour nous réchauffer dans sa paume?

LIZZIE
(Lizzie va prendre entre les siennes les mains crispées d'Emily.)

L'angoisse infinie des mains. *(Elle masse les mains d'Emily.)* J'ai massé des corps toute ma vie, Millie. Massé, huilé, poncé! Dans tous les corps, sans exception, je l'ai sentie, à chaque fois, le petit morceau d'enfance. Dès que je sens qu'il y a un endroit plus sensible que les autres, c'est là que j'attarde mes mains. Je masse avec encore plus de ferveur le petit bout de peau autour duquel le corps a grandi d'une façon indépendante alors que l'âme, elle, est restée cachée dans le petit morceau d'enfance. Pendant des heures, j'essaie de régler le grand corps autour de la petite âme. Les soins que je dispense sont des soins éternels.

EMILY
(qui se laisse masser par Lizzie)

Tu devrais me masser plus souvent.

LIZZIE
(protestant)

Tu veux que je monte chez toi tous les jours sur mes vieilles jambes anglicanes?

EMILY

As-tu l'âge des béquilles, Lizzie?

LIZZIE

Souviens-toi des paroles de saint Jean, Millie: «Sur la route semée d'embûches qui mène au Royaume, les personnes qui ont des béquilles passeront les premières.»

EMILY

Parce qu'elles asséneront des coups de béquilles à tous ceux qu'elles rencontreront sur leur chemin.

LIZZIE

Depuis ton voyage sur la côte est, tu as changé. Es-tu à la hauteur de tes ambitions?

EMILY

Les sœurs aînées sont tortueuses et méchantes. Tu es capable de tout pour m'humilier. *(Emily s'empare d'un autre câble mais Lizzie intervient...)*

LIZZIE
(inquiète)

C'est le fauteuil de père!

EMILY

Il n'est pas assis dedans. *(On entend un craquement.)*

LIZZIE
(effrayée)

Le fauteuil de père craquait quand il s'y asseyait!

EMILY

Parce qu'il était neuf. *(Elle veut hisser le fauteuil mais Lizzie l'en empêche. On entend un autre craquement.)*

LIZZIE

Tu entends?

EMILY

J'entends. C'est la Maison qui craque.

LIZZIE

La Maison répond au fauteuil. Quand je pense à ce que tu as osé faire à ce fauteuil, après la mort de père!

EMILY
(se débattant avec le câble comme elle se débat avec sa culpabilité)

Je n'ai rien fait.

LIZZIE

J'ai failli mourir de honte.

EMILY

Je n'étais plus moi-même!

LIZZIE

Tu as mis le fauteuil de père dans le chenil. Avec tes chiens, Millie! Avec tes chiens!

EMILY

Tous les dimanches, quand père lisait la prière du matin, il me forçait à m'agenouiller sous les bras du fauteuil. J'étouffais!

LIZZIE

Le fauteuil craquait et murmurait bien plus fort que toi. Il nous aidait à prier. La lutte de père et plus tard la mienne...

79

EMILY

Votre lutte pour faire de moi une vraie dame. Votre lutte pour me soumettre!

LIZZIE

J'ai tout fait pour accepter avec joie, amour, la jeune sœur qui me fut donnée.

EMILY

Tais-toi, Lizzie! Tu me fais grincer des dents.

LIZZIE

En vérité, tu grinces des dents depuis la nuit des temps!

EMILY

Le rôle délicat d'une sœur aînée consiste à n'arracher que la moitié du bon grain tout en laissant l'ivraie se développer au lieu de vouloir repasser à sa jeune sœur ses manies et son conformisme!

LIZZIE
(levant les yeux au ciel, pour s'adresser à la table de leur mère)

Mère, d'où nous vient-elle? D'où nous vient-elle?

EMILY

Tu connais la réponse.

LIZZIE

Rien que d'y penser, j'en ai l'estomac retourné. Tu nous viens de Dieu.

TABLEAU VII

Avec l'éléphant et la D'Sonoqua

Nous sommes encore dans le studio d'Emily. Lizzie est présente. Nous entendons une musique qui ressemble à celle que feraient plusieurs trompettes. Puis on entend ce qui ressemble au barrissement d'un éléphant. Sophie fait son entrée, très excitée, folle de joie.

SOPHIE

Mon Em'ly! Mon Em'ly! Je l'ai trouvé sans le chercher.

EMILY

Qui, ma Sophie? Qui?

SOPHIE

Lui! C'est un seul animal mais il en vaut plusieurs. Comme une vache sacrée, il mange de l'herbe. Il a beaucoup de dignité. Ses os sont forts, ses membres sont comme des barres de fer.

EMILY

Où est sa plus grande force?

SOPHIE

Dans son cœur, il joue avec les grandes montagnes.

EMILY

Où dort-il? Où se couche-t-il?

SOPHIE

Sous les arbres, sous les ombres. Dans l'eau, toujours il revivra.

EMILY

C'est un éléphant!

LIZZIE
(qui regarde du même côté que Sophie et Emily)

Vous allez me dire que mon interprétation de cette apparition est bien sûr incorrecte, mais moi, je vois une tente-roulotte motorisée!

EMILY

C'est un éléphant, Lizzie.

SOPHIE

C'est le géant des vents, il porte la Terre sur son dos!

LIZZIE

C'est une tente-roulotte motorisée!

SOPHIE

Madame Lizzie, c'est un éléphant!

LIZZIE

C'est le diable! Sa taille gigantesque coïncide en tout point avec ton sens de l'effet dramatique, Millie! Tu vas encore essayer de m'impressionner par ton anticonformisme.

EMILY

Se séparer de sa famille... Se séparer de toutes les paroles. Peindre! Voyager!

LIZZIE
(Elle s'éloigne d'Emily et de Sophie.)

Combien la différence se creuse de plus en plus entre elle et moi. Millie est en plein délire. Elle fait semblant de l'oublier mais elle sait qu'un jour viendra où elle n'aura plus à se plaindre de moi. *(Comme sous le coup d'une inspiration:)* Je vais écrire mon testament, tout lui laisser. Quand je serai morte, ce sera à son tour d'avoir des remords. *(Elle sort.)*

SOPHIE
(qui, intérieurement a tout entendu)

Mon Em'ly, le cœur de madame Lizzie tient une vengeance. C'est très chaud!

EMILY

Son cœur est aussi chaud qu'un bloc de glace. *(Haussant le ton pour que Lizzie l'entende:)* Je ne sais pas qui tu es Lizzie. Tu ne sais pas qui je suis. Où sommes-nous? Quel est le millénaire? Quelle est la planète?

SOPHIE
(Elle écoute attentivement les pensées de Lizzie pour les transmettre à Emily.)

Elle répond que toutes les choses sont ruinées et confondues. Elle pleure. Une pluie de déluge tombe. *(Temps.)* Elle dit qu'elle voit une majestueuse montagne en mouvement!

EMILY

Je la vois, moi aussi!

SOPHIE
(parlant en son nom propre)

La montagne délivre des messages sans interruption. C'est bien.

EMILY

L'éléphant marche vers la montagne, Sophie! Pourquoi?

SOPHIE

Il va jouer avec ELLE.

EMILY

La montagne?

SOPHIE
(Elle commence à montrer des signes d'agitation en parlant d'ELLE.)

Non! Avec ELLE! Ni odeur. Ni peur. ELLE est plus rapide que les oiseaux, que le vent. Plus forte que l'éléphant. Elle a l'Être!

EMILY

De qui parles-tu?

SOPHIE

Après la mort, pendant des jours et des jours, elle persiste à chanter ton nom. Elle ne laisse pas passer.

EMILY

Qui est-elle?

SOPHIE
(gênée par son mensonge)

Je ne sais pas.

EMILY

Je croyais que j'avais ta confiance. *(Cri du hibou.)* OOO—oo-OOE-oo *(Sophie veut partir.)* Où t'en vas-tu?

SOPHIE

Cacher mes enfants!

84

EMILY

Tes enfants sont morts, ma Sophie!

SOPHIE

Ils ne le savent pas encore: chez les fantômes ils sont vivants et chez les vivants, ils sont morts. Mes enfants se cachent dans les arbres avec les oiseaux: au printemps ils auront des plumes. Ils partiront! *(Cri du hibou.)*

EMILY

Quel est ce bruit?

SOPHIE

On dirait un frôlement de soie, hein mon Em'ly? C'est Elle, c'est la D'Sonoqua! *(Effrayée, Sophie prend la fuite. Emily hésite, comme si elle allait suivre Sophie dans sa fuite. Pressentant un événement extraordinaire qui la concerne, elle reste...)*

EMILY

Lizzie!

SOPHIE-D'SONOQUA

Une puissance bien au-dessus de la nôtre a serré son cœur.

EMILY

(Emily suffoque, porte les mains à son cœur.)

Ma sœur Lizzie?

SOPHIE-D'SONOQUA

À Victoria, la balance tranquille a bougé.

TABLEAU VIII

Rétrospection des mortelles

Nous sommes à l'heure de la mort de Lizzie. Cette scène n'a pas un lieu terrestre précis. C'est une scène du Seuil, du passage de Lizzie dans un autre univers.

LIZZIE

Je me sens comme si j'avais reposé toute une nuit sous un poids tout juste supportable. Je suis stationnaire au cœur d'un monde dont toutes les créatures sont stationnaires.

EMILY

Je prendrai soin de tout.

LIZZIE

Toi? Tu as déjà tellement à faire, Millie. Et puis tu es trop vieille!

EMILY
(avec humour et détachement)

Tu est encore plus vieille Lizzie. Tu es complètement ravagée!

LIZZIE
(avec le même détachement)

Je suis rendue au bout de ma corde, hein? *(Elle pointe du doigt le filet qui recouvre la tête d'Emily.)* Fais-moi plaisir, Millie, enlève-le!

EMILY
*(Sans hésiter, elle enlève résolument ce qui lui recouvre
la tête, pour apparaître complètement chauve.)*

Voilà! Tu es contente?

LIZZIE
*(Elle a un grand sourire. Elle ouvre les bras pour serrer
Emily sur son cœur. Elle la regarde.)*

Millie, tu es encore plus décatie que moi!

EMILY
(sur le même ton détaché et joyeux)

Tu n'as rien à m'envier, vieille roulure!

LIZZIE
(confuse)

Où sont passés tes magnifiques cheveux?

EMILY

Tu ne te rappelles pas? Mes cheveux sont restés en
Angleterre. Je m'étais exilée à Londres... Je voulais deve-
nir une artiste, trouver une façon nouvelle de peindre,
m'affirmer avant de revenir m'enterrer à Victoria.

LIZZIE
(qui se souvient)

Mais tu as fait une terrible dépression. On m'a en-
voyée te chercher.

EMILY

Qui t'a envoyé me chercher?

LIZZIE

Père, mère...

EMILY

C'est impossible! Ils étaient morts depuis longtemps.

LIZZIE
(ainsi qu'un aveu)

J'ai décidé d'aller te chercher. Je craignais pour ta vie, Millie!

EMILY

En ce temps-là, tu me portais une affection incomparable.

LIZZIE

Tu étais le sel de la terre, le meilleur sang de la famille Carr.

EMILY

Tu m'as sauvé la vie. Tu avais déjà des dons merveilleux pour guérir les corps et les âmes, que le temps qui s'est écoulé a montrés.

LIZZIE

Quand je t'ai vue avec ta tête de Gengis Khan! La vie est capable des pires dommages. *(Elle regarde Emily remettre sa coiffure.)* Ah, ma vieille!

EMILY

Ah, ma vieille! Ah! Ma vieille de la vieille!

LIZZIE

On ne devrait pas grandir au-delà de sept ans.

EMILY

Toi, à sept ans, tu avais déjà la mentalité d'un vieux soldat et des opinions que la reine Victoria en personne n'aurait pas désavouées.

LIZZIE

Comme tu me percevais mal. J'étais choquée de grandir. Vieillir me répugnait car je désapprouvais presque tout ce que je voyais chez mes aînés. Aujourd'hui, je me sens enfin jeune et libre. *(Réaction d'Emily.)* Je sais que je suis en train de mourir, Millie. Je me sens jeune et libre parce que le poids du temps ne repose plus sur moi.

EMILY

Tu crois vraiment que c'est le temps qui pèse le plus sur les enfants?

LIZZIE

Le temps... les parents... Surtout des parents qui refusent de quitter le XIXe siècle. Des parents qui refusent d'affronter un univers de problèmes de plus en plus insolubles.

EMILY

Ils se sont efforcés à rester dans le droit chemin... Et nous derrière.

LIZZIE

Toi, tu es une énorme exception!

EMILY

J'ai toujours eu l'impression que je creusais votre tombe.

LIZZIE

Quelle vanité de ta part! La famille est bien plus résistante...

EMILY

Il y a en moi une colonne de compassion et une colonne de colère!

LIZZIE

Il y a en moi une colonne d'envie! Les saisons se succèdent, les rivières débordent, les montagnes changent de couleur, peu importe, Millie traîne son chevalet partout. Si le tonnerre gronde, si les éclairs illuminent les nuages, Millie s'abrite sous un éléphant. Si le soleil est trop brûlant, elle se met à l'ombre d'un prunier en fleurs. Elle peint.

EMILY

Je voulais collectionner les expériences essentielles: celle de l'amitié, celle de l'art, celle d'une culture différente de la mienne.

LIZZIE
(avec aigreur)

Tu aimais les huttes enfumées des Indiens plus que nous!

EMILY

Plus que vos salons ennuyeux et vos dîners frivoles. Je n'ai aucun mérite si mes sympathies allaient vers cette partie de l'humanité que la société de Victoria évitait, méprisait: les Indiens et leurs enfants, leur spiritualité.

LIZZIE

Victoria a le dos large. Tu n'as jamais voulu prendre une attitude qui aurait pu te concilier une partie de l'opinion publique.

EMILY

L'opinion publique est vile et mensongère, Lizzie! Elle est l'ennemie des artistes. Elle se parfume de nos sueurs pour éviter d'être reconnue à sa puanteur naturelle. Elle pue, l'opinion publique!

LIZZIE

Je les connais mieux que toi, ceux et celles qui la font cette opinion publique. Ils ont des corps négligés qui souffrent depuis trop longtemps. Des corps semblables au tien, au mien, dont la souffrance et l'angoisse ne cessent jamais.

EMILY

Tes sentiments sont sans doute plus impartiaux que les miens. *(Temps.)*

LIZZIE

Millie, quel est le sens de la vie pour ton amie Sophie?

EMILY

Ma Sophie dit que la vie est une longue et coûteuse créance... Une attente. Sur les quais des gares, de vieilles femmes indiennes sont assises et la vitesse des trains qui passent et ne s'arrêtent jamais filtre cette patience, cette longue attente.

LIZZIE

Quand tu as pris le train pour la côte est, je t'ai imaginée assise dans le wagon, suspendue au-dessus des rails, des rails que je voyais de cet or pur qui se concrétise parfois dans un songe. C'est à mon tour de voyager. Je touche la stupidité de ce qui m'a souvent causé de sérieux soucis. J'ai la joie de découvrir la futilité de mes graves anxiétés personnelles. Quel beau voyage, Millie! Le bruit de tout un équipage qui s'en va en rejoindre un autre, dans cette gare où je situe la résidence de Dieu. Je vois un géant solennel... Il a un visage d'enfant. Il m'attend. *(Parlant au géant:)* Je manque un peu d'énergie, Monsieur le géant. Vous, vous ne manquez pas de patience. Merci de venir me chercher... Qui sait, je serais peut-être restée là à m'attendre... Les brillantes étoiles du soir... Les radieuses étoiles du matin.

EMILY
(Elle ferme les yeux de Lizzie.)

Ah! ma vieille. Ah, ma vieille de la vieille!

TABLEAU IX

Où l'invisible, parfois, pose légèrement sa main

Des années plus tard, dans l'atelier d'Emily. Elle travaille. On ne voit pas le four mais on peut en percevoir le rougeoiement. Il y a un câble qui pend, celui du fauteuil de son père. Sophie apparaît. Elle a terriblement vieilli. Dans ses mains elle tient un bouquet de centaurées dont le bleu est éclatant. Sophie s'arrête sur le seuil et frappe à une porte invisible.

SOPHIE

Il y a, sur la terre, une Sophie qui frappe à une porte qui tarde à s'ouvrir. Celle qui est dedans devrait s'empresser car les portes sont transparentes.

EMILY
(qui s'empresse)

Que ma noble amie me pardonne. *(Elle veut lui offrir un banc pour s'asseoir mais Sophie le refuse.)*

SOPHIE

Mon Em'ly, je meurs lentement de sénilité.

EMILY

Ma Sophie...

SOPHIE

J'ai dépassé de beaucoup l'âge normal de mourir pour une Indienne et chaque jour je me lève un peu plus morte. La même chose est arrivée à ma mère, à ma grand-mère: elles avaient vécu si longtemps avec la mort qu'elles s'étaient perdues en chemin. Je ne voudrais pas rester perdue trop longtemps. Mon Em'ly, demande à ton vétérinaire de me piquer.

EMILY

Tu es fatiguée, ma Sophie... Tu disparais pendant des jours et des jours. Où vas-tu?

SOPHIE

Là où l'invisible, parfois, pose légèrement sa main sur mon épaule.

EMILY

Le cimetière au bord de la mer?

SOPHIE

Les tombes de mes enfants s'étalent tout en large dans la prairie. Les tombes pensent vert et jaune orangé: ça fait le bonheur des vaches.

EMILY

La terre n'a pas oublié tes enfants.

SOPHIE

Elle a perdu leurs voix. La terre a perdu toutes nos voix. Je n'entends plus chanter la poussière de mes ancêtres. Les épitaphes ont cessé de murmurer.

EMILY

Dans les cimetières, même les siècles disparus sont muets. Le silence.

SOPHIE
(secouant la tête)

Les Blancs disent que l'herbe ne fait aucun bruit pour pousser, l'enfant pour grandir et l'éternité pour passer. Vous n'avez vraiment pas l'oreille fine! *(Soudain elle est aux aguets.)* Mon Em'ly, quelqu'un demande le chemin du feu! *(Sophie marche vers le four et y lance son bouquet de centaurées.)*

EMILY
(qui proteste)

Pourquoi as-tu donné les centaurées au feu?

SOPHIE

Les centaurées font parler les étoiles.

EMILY

Je préfère les comètes, ces divagantes de l'éther. Si elles pouvaient parler, nous dire comment sont les autres mondes.

SOPHIE

Je la vois. Elle porte un grand manteau bleu nuit. C'est elle! C'est Madame Lizzie! Le bas de son manteau est enrichi d'une broderie de fleurs. Madame Lizzie est en train de broder mon Em'ly sur son manteau bleu nuit.

EMILY

Dis-lui que quand je marche je me sens si lourde que j'ai peur de faire basculer la planète. Dis-lui de me broder très mince, avec beaucoup de cheveux. Non! Dis-lui que je vois des trous bleus dans les arbres et que je ne sais pas qui les a faits!

SOPHIE

Elle dit que c'est elle: c'est là qu'elle prend les couleurs de sa broderie.

EMILY

Dis-lui que dans la forêt les sentiers s'obscurcissent, hantés par la pénombre des rêves. Quand je marche, mes pas ne font aucun bruit, pourtant, en avant, il me semble entendre un bruit de pas... des pas étouffés, un martèlement sourd et si proche que souvent je me sens sur le point de rattraper ce que je poursuis. Puis soudain, les pas se font lointains et la lumière sombre de la forêt m'enveloppe. Lizzie, est-ce toi? J'entends un murmure hésitant, haché de mots profondément émouvants.

SOPHIE

Elle dit que tes tableaux, un jour, tendront la main au monde entier. Ceux qui les regarderont auront mille années de moins.

EMILY
(qui perd le contact avec Lizzie)

Sophie, je ne l'entends plus! *(Angoissée et bouleversée, elle contemple Sophie.)* Pourquoi restes-tu là, la tête penchée, le cou de côté, comme un vieux cheval?

SOPHIE
(Elle s'allonge par terre pour mourir. Montrant un tableau d'Emily, celui de la D'Sonoqua.)

Mon Em'ly, tu devrais mettre celui-là tout près de mes yeux.

EMILY
(Emily s'exécute.)

Je ne veux pas être séparée de toi!

SOPHIE

Entre une goutte d'eau et sa voisine, y a-t-il une séparation? Jamais de séparation nulle part. Une broderie sans déchirure. *(Regardant le tableau.)* Mille années de moins. *(Longue pause... Emily se penche vers Sophie pour lui fermer les yeux. Elle l'embrasse et la serre dans ses bras. Temps. Tout près, les câbles du fauteuil de son père commencent à s'agiter tout doucement.)*

EMILY
(Elle se lève et marche vers les câbles, et s'en empare avec force. Ici commence son combat avec le fauteuil ou son combat avec l'Ange de Jacob. La scène sera violente.)

C'est toi, hein père? Je suis la dernière de l'équipage sur mon pont mangé de larmes et de regrets. *(Elle hisse le fauteuil, mais soudain elle perd du terrain, elle est soulevée du sol.)* Tu veux m'attirer vers toi? Me haler vers le large? Attention, père, j'ai les talons solidement accrochés dans les racines de la planète. *(Se fâchant:)* Je vais te hisser là-haut, fauteuil de mon père! L'attraction formidable de ta ligne. Tu voudrais bien me mettre l'hameçon en plein cœur, hein? *(Elle est soulevée de terre, elle a mal à la hanche, elle boite. Elle enlève sa coiffure et va continuer ainsi sa bataille, tête chauve.)* Tu sais bien que les branches recourbées de l'hameçon en rendent l'arrachement impossible. Ça va emporter toute ma chair! Pourquoi étais-tu si déprimé, père? Les échecs, les regrets, la souffrance, tout ça n'était qu'un mauvais rêve. Nous trahissons tous nos pauvres vies. Toutes les choses se confondent pour notre honte et notre effroi. Un jour, ton enfance te sera rendue par tes propres forces, père. Tu retrouveras le sentier que jadis, dans une sombre forêt, tu n'as pas voulu prendre. *(Elle est soulevée une dernière fois et retombe, foudroyée par une crise cardiaque.)*

TABLEAU X

Un peu de poussière météorique

Emily est assise dans le fauteuil de son père. Elle a l'apparence d'une convalescente mais c'est aussi une femme qui, malgré plusieurs crises cardiaques, lutte encore vaillamment pour maintenir vivante, en elle, la force de vie. Quand l'Accordeur d'âmes apparaît elle n'ouvre pas les yeux.

EMILY

Je savais que vous alliez venir.

L'ACCORDEUR

J'ai reçu votre appel.

EMILY
(Elle ouvre les yeux.)

Je suis vivante? Où est-ce une copie de moi-même qui s'agite dans ce fauteuil?

L'ACCORDEUR

Après la troisième crise cardiaque, il s'en est fallu de peu... Mais j'ai réussi à vous garder dans votre sphère. Vous êtes toujours unie au corps de la Terre, Emily Carr.

EMILY

Comme c'est étrange... Pendant toutes ces années d'épreuves et de tribulations, je n'ai jamais parlé de vous à personne. Pourtant, je n'ai jamais cessé de penser à vous. Vous mettiez une telle pression sur moi...

L'ACCORDEUR

Je mettais sur vous la pression des anges.

EMILY
(retrouvant sa combativité, son énergie)

Alors que mes aspirations et mes buts étaient parmi les meilleurs, pourquoi avez-vous laissé ces conservateurs de musée, ces propriétaires de galeries m'humilier? *(Changeant sa voix:)* Vous progressez, vous progressez, madame Carr. Dommage que cette côte ouest soit impossible à peindre. Tous tellement paternalistes! Ils voulaient m'achever. Me paralyser!

L'ACCORDEUR

Vos pieds foulaient le sentier matériel des efforts terrestres. Je ne pouvais arrêter, ni même changer la lutte inhérente à votre séjour sur la terre. J'étais à vos côtés, j'ai combattu avec vous quand vous l'avez permis. Je vous ai montré vos alliés...

EMILY
(avec un grand sourire de détente)

Harris... ce beau jeune homme. J'ai conservé toutes ses lettres. Il m'a intriguée, passionnée en me faisant lire ces livres étranges qui racontaient les royaumes étoilés, la résidence des esprits.

L'ACCORDEUR

Vous avec rencontré Celle qui répondait à votre propre sentiment créateur...

EMILY

La D'Sonoqua! Cette Déesse-Mère d'une grâce érotique toute puissante. Je la revois dans sa présence ascendante, entourée des petits esprits guides qui fusionnaient avec ELLE!

L'ACCORDEUR

Vous avez prêté attention à l'écho de son fidèle appel.

EMILY

La D'Sonoqua m'a renforcée dans toutes mes décisions.

EMILY
(Elle ferme les yeux. Temps.)

Je rêve à Lizzie: elle marche de son brave pas de petit soldat, dans une prairie parsemée de lys sauvages et de lys tigrés. Sophie est debout, là-bas. Son aura est si grande qu'elle couvre la moitié d'une montagne. Je m'aperçois moi-même comme un autre petit soldat. Lizzie, Sophie et moi, nous marchons notre chemin comme si nous n'étions pas vouées à mourir! Pourquoi nos sources de joies sont-elles polluées par les poisons de la peur? Pourquoi notre vitalité est-elle toujours menacée par la tristesse de la maladie, de la mort?

L'ACCORDEUR

Quelle mort?

EMILY

Quelle mort? La vieille main jaunie de Lizzie dans la mienne!

L'ACCORDEUR

N'avez-vous pas entendu un bruit d'eau quand nulle source ne se trouvait là?

EMILY
*(Elle se soulève du fauteuil et pousse le cri du coq.
Ensuite elle retombe dans le fauteuil.)*

Cocorico! Cocorico! Je ne suis pas encore battue. Au contraire, je suis éveillée d'un éveil immédiat et absolu, ainsi qu'en pleine obscurité on s'éveille à la présence d'un étranger dans la pièce. Cocorico! *(on entend au loin un autre coq lui répondre, puis un autre, un autre.)* Entendez-vous ça? C'est ainsi jusqu'à l'autre bout du pays: chaque âme embrasée prend pour cible le soleil!

L'ACCORDEUR
(avec humour, prenant le ciel à témoin)

Quelle créature! Quelle planète! Ah! cette étroitesse de vues de toutes ces créatures planétaires! *(À Emily:)* Votre coq braillard, tendu sur ses ergots, n'est rien de plus qu'un lieu commun! Même les vers de terre essaient de tenir le coup bien au-delà du dernier combat. Que voulez-vous?

EMILY

Je veux crever, c'est tout. Je sens déjà la pourriture et la terre humide.

L'ACCORDEUR
(Il a dans les mains un petit livre dont il tourne les pages)

Ce livre nous a accompagnés dans le dédale de vos incertitudes et la succession des 26,000 jours et nuits de votre existence.

EMILY
(qui ne veut rien entendre)

Je ne passerai pas le reste de ma vie dans ce fauteuil à regarder les jours s'écouler vers l'embouchure. *(Intriguée malgré elle:)* 26,000 jours et nuits, dites-vous!

L'ACCORDEUR
(qui connaît son Emily par cœur)

26,000 jours et nuits de glorieuses batailles et de non moins glorieuses défaites. Tout est là, comme si cela se déroulait devant vos yeux.

EMILY

C'est impossible! Une vie humaine est faite d'une multitude de détails. *(L'Accordeur lui remet le petit livre sur lequel elle se jette. Elle va d'abord lire avec les yeux, s'exclamer...)* Le récit de mon voyage aux îles Charlotte... J'ai vraiment l'impression d'être là-bas, avec mon petit chien Ginger Pop dans les bras. Nous débarquons dans la baie au village ancien de Cumshewa... Comme ce lieu est solennel. On le dit hanté... Des maisons du village il ne reste que des squelettes... Les totems d'ours et de castors sont encore debout. *(Emily se laisse envoûter par le récit.)* Soudain le décor sinistre s'habille de clarté... Les flamboyantes herbes à feu se redressent, des fleurs s'épanouissent aux branches des cerisiers. Ginger Pop aboie et les maisons indiennes étincellent sous les rayons du soleil matinal qui fait fondre les fantômes. *(Elle referme le livre et le remet à l'Accordeur.)*

L'ACCORDEUR

Tout est là? Rien ne manque?

EMILY

Ce livre est pire que la peste!

L'ACCORDEUR
(allumant une torche qui est sa main)

Dans ce cas je vais le brûler.

EMILY
(dans un cri du cœur)

Non! Non! C'est le livre de la mémoire.

L'ACCORDEUR

Et de la justice. Il donne à chaque créature la même place dans l'éternité.

EMILY

Lizzie a le sien? Et Sophie? Mon père et ma mère? *(Signe d'assentiment de l'Accordeur.)* Qui donc la rédige, cette encyclopédie des morts?

L'ACCORDEUR

Des artisans célestes, des gardiennes de la destinée, des étudiants d'étoiles, des archivistes des mondes...

EMILY

Le nom de mon vieux docteur et de sa chère jument Julia y figurent-ils? Les nuits d'orage, il laissait Julia à l'abri dans la grange et visitait ses malades à pied: pourquoi nous faire mouiller tous les deux disait-il. Et les rues de Victoria où au printemps tout n'était qu'églantiers, résédas, roses moussues et chèvrefeuilles? Et l'étincelle soigneusement cachée au fond du regard sévère de mon père? Et Susie, et la grande vache rousse et blanche?

L'ACCORDEUR

Ils y figurent, mais ils sont réduits pour ainsi dire à des idéogrammes.

EMILY

Lizzie, offrant son visage radieux à la pluie... *(Elle sursaute:)* Des idéogrammes? Mais c'est les trahir, trahir leurs vies. *(L'Accordeur souffle un nuage de poussière dorée sur Emily.)* Qu'est-ce?

L'ACCORDEUR

Un peu de poussière météorique.

EMILY
(Elle se retrouve avec un crayon dans la main.)

Écrire! À mon âge? J'ai déjà les deux pieds dans la tombe.

L'ACCORDEUR

Il n'est jamais trop tard pour développer un talent. Jamais! Si moi j'ai pu le faire.

EMILY

Vous? Vous avez habité la Terre, travaillé?

L'ACCORDEUR

J'ai habité cette vallée de larmes et de décisions. J'y ai pris des engagements

EMILY
(timide)

Portez-vous des jugements sur les êtres humains?

L'ACCORDEUR
(secoué et bouleversé)

Si je vous ai causé quelque mal que ce soit, si j'ai commencé en vous un changement qui vous fasse mal, pardonnez-moi si vous le pouvez. Surtout, n'ayez nul besoin d'avoir peur de moi.

EMILY
(Temps de réflexion.)

Finalement, je n'ai manqué de rien. Vous avez été divinement juste et équitable.

L'ACCORDEUR

Savez-vous ce que j'aime en vous? Cette qualité extraordinaire de réceptivité sereine et d'application. J'aime aussi vos mains d'enfant et votre regard: vous avez un regard comme si le printemps venait d'arriver.

EMILY

Elle vous manque la Terre?

L'ACCORDEUR

Il m'arrive d'avoir la nostalgie de tous ces parfums qui montent de la terre après la première grande pluie d'avril... Ou quand le ciel d'automne et ses nuages gris se reflètent dans les flaques d'eau, les étangs.

EMILY
(Sa main qui tient le crayon magique s'agite dans l'air.)

Tout ce que j'écrirai sera fragmentaire en regard de ceux qui l'ont vécu.

L'ACCORDEUR

Les souvenirs du cœur sont illimités. Vous écrirez pour les enfants de votre génération et les enfants des enfants des générations à venir, afin qu'advienne le mieux.

EMILY

À présent, je vois comme la nuit se couvre d'étoiles. Combien de royaumes et d'univers sont là-haut? J'écrirai à tous les morts de l'humaine nation. À toutes ces bêtes bien-aimées qui ont disparu dans les grands fonds froids de la terre.

L'ACCORDEUR

Je serai toujours penché sur vous pendant que vous écrirez. Ce sera un de mes bonheurs.

EMILY

Je serai la mère et le scribe de cette population sous la terre. Ils vont, les unes, les uns à côté des autres, résorbés peu à peu par le corps de la planète. *(Levant la main avec le crayon, écrivant dans l'air avec sa poussière météorique:)* «Il y a assez de mots, de couleurs, de pinceaux et de pensées. Toute la difficulté semble consister à rendre les pensées suffisamment claires, à les faire tenir tranquilles assez longtemps pour qu'on puisse les habiller avec des mots et de la peinture. Elles sont insaisissables, comme les oiseaux sauvages qui chantent au-dessus de nos têtes...»[*]

L'ACCORDEUR
(d'une voix à peine perceptible)

Ah ma vieille! Ah! ma vieille de la vieille.

Jovette Marchessault
Étang-aux-Oies
22 janvier 90

(*) Extrait de *Hundred and Thousands*, journal d'Emily Carr, page 264 IRWIN Pub.Toronto

TABLE

Relation d'un voyage
    par Françoise Tounissoux 7
Mot de l'auteure 11
Note biographique 13
Le Voyage magnifique d'Emily Carr
    Premier voyage dans le vieux monde 19

Tableau I
    La Maison de toutes les espèces 21

Deuxième voyage dans le vieux monde 29

Tableau II
    Au bord de la mer avec l'homme des tombes 31

Tableau III
    Rencontre avec l'Accordeur d'âmes 39

Tableau IV
    Vers l'est avec les oies sauvages 49

Tableau V
    Un amateur talentueux 59

Troisième voyage dans le vieux monde 61

Tableau VI
    Comme tous les gens dans la douleur 73

Tableau VII
    Avec l'éléphant et la D'Sonoqua 81

Tableau VIII
    Rétrospection des mortelles 87

Tableau IX
    Où l'invisible, parfois, pose légèrement sa main 93

Tableau X
    Un peu de poussière météorique 101

Achevé d'imprimer
en octobre 1990 sur les presses
des Ateliers Graphiques Marc Veilleux Inc.
Cap-Saint-Ignace, Qué.